軽くなる生き方

松浦弥太郎

サンマーク
文庫

プロローグ　～小さな荷物で、新しい旅に出よう～

あなたは、よけいな荷物を背負っていないだろうか？
シンプルに、身軽に生きていると断言できるだろうか？

――僕は、ある日突然、がんじがらめになっている自分に気づいた。

一生懸命に築き上げてきた仕事。
大切な人とのかかわりあい。
かけがえのない経験。
自分なりの流儀。
ずっと手に入れたかった、お気に入りのモノ……。
どれもみな欲しくてたまらず、それなりに苦労もし、何年もかけてようやく集めた宝物ばかりのはずだった。

だが、いつのまにか僕のカバンは、抱えたままでは身動きがとれないほど、ずっしりと重たくなっていた。

「あれも欲しい」

「これも必要だ」

こんなふうに、片っ端からカバンに詰め込みながら生きてきたら、知らないうちに僕の人生には、どう考えてもいらないガラクタまでもが入り込んでいた。

「念のため、これもあったほうがいいな」

「いつか使うかもしれないから、あれもとっておこう」

生きるというのは不安なことだから、それを打ち消すために、僕はいろいろなものを所有して自分をごまかしていた。なんとか安心を手に入れようとして、肩にギリリと食い込むような、大荷物を抱え込んでいた。

幸せなのに、気持ちは不安定。僕はいつしか、そんな状況にとらわれていたのだった。

人生の旅というのは、生まれた瞬間にスタートし、一〇代か二〇代のはじめから広がりをもって進んでいくのだろうけれど、どんな人も最初の荷物は、からっぽだと思う。なにもないぶん身軽だから、速く走れる。カバンはからっぽだけど、どんどんいろいろなものを詰め込む余裕がたっぷりある。

高校をドロップアウトして、あてもなくアメリカに行った僕が、いつのまにか本の仕事を介してさまざまな人と知り合い、つながりをもつことができたのも、からっぽのカバンのおかげで自由に走っていたからだろう。

それからというもの僕は、なにかを見つけるたびに、あれもこれもとカバンに詰め込んでいった。

ニューヨークの道端でヴィジュアルブックを売ることから始め、やがて中目黒に古書店「COW BOOKS（カウブックス）」を開業。文章を書き、編集の仕事をすることに。そして、縁あって二〇〇六年から『暮しの手帖』の編集長をつとめることにもなった。

仕事の面でも、やりたいことが増えるにしたがって、荷物はどんどん増えた。荷物が多くなることはうれしくて、楽しかった。

でも、ふと気づけば、その荷物は自分でも背負いきれないほど、どっしりと重たくなっていた。

このカバンを抱えたままで、これからの人生を好きなように、自分らしく、軽やかに旅していけるのだろうか？

——それが四〇歳を過ぎた僕の「発見と疑問」だった。

僕は考えた。

気持ちよく高いところまで歩いていきたいなら、身軽なほうがいい。そこに行かなければ見られない景色をとっぷり堪能したいなら、大荷物など邪魔なだけではないか。

もっといえば、死ぬときは手ぶらがいい。フワッと空に溶け込めるくらい軽くなれたら最高だ。

そこで、僕は少し立ち止まることにした。自分が抱え込んだ荷物をいったん全部出し、カバンの中身を点検してみることにしたのだ。

いるか・いらないか、微妙なものは、断固として潔く手放す。

本当に大切なものだけを、厳選して持つ。そしてかわいがる。

極力、無駄をそぎ落とす。

――すると思いのほか、「自分にはもう必要ないもの」や「なくても生きていけるもの」がたくさんあることに気がついた。そのとき僕は、それらを思い切って捨てたり、もし必要な人がいるとしたらその人にあげたりすれば、もっとすっきりと軽やかに生きていけるはずだと知ったのだ。

棚卸しの成果は、そればかりではない。

幸せなことに、「捨てる・捨てない」と幾度となく吟味《ぎんみ》しても、絶対に勝ち残るであろう「人生のお守り級に大切なもの」が、ちゃんとカバンに入っていることがわかったのだ。

宝物としてずっと持っていたいもの、どんなときでも役立つ万能のもの、多少かさばっても抱えていくべき責任。それらを、できる限りコンパクトにまとめた小さな荷物一つをポンと肩にかけて、これからの人生の旅を生きていきたいと思う。四〇歳で自分をゼロ設定して、新しい歩みを踏み出すのだ。

この本には、二つの効能がある。

一つは、人生の棚卸しをし、身軽になるためのヒント。

僕自身の人生を振り返りながら行った「カバンの中身の点検作業」を参考にしながら、あなたにも「棚卸し作業」を試みていただければと思う。

もう一つは、「これさえあれば大丈夫」という人生の知恵だ。

人生の知恵とは、いわばアロマオイルのようなもの。

アロマオイルには、リラックス、気分転換、美容、予防医学……といくつもの効用がある。なくても生きていけるかもしれないが、もしそれがあれば、さまざまな場面で自分を救ってくれる。たとえば、迷ったとき、苦しいとき、自分の心を呼び戻し、気持ちをすうっと落ち着かせてくれる「自分ならではのベーシック」。

身軽に生きるためには「これがあれば安心」という万能の薬も必要だと思う。

この本でご紹介する、僕が試行錯誤し、さまざまな人から学んだ人生の知恵が、みなさんにとってても役立つものであればとてもうれしい。

そしてなにより、あなたが今何歳であろうと、これからの人生が身軽になる方法を、本書から見つけていただければと願っている。

「軽くなる生き方」ができれば、あなたがたとえいくつだろうと、人生の旅はまだまだ楽しめるはずだと信じているから。

軽くなる生き方　目次

第2章　仕事で生かす、生かされる

第3章 「自分の根っこ」を見つめ直す

第4章 これからの人生は、身軽がいい

編集協力……青木由美子
編集……桑島暁子（サンマーク出版）

第1章

「あたりまえのこと」を大事にする

「本当に大事なモノ」を少しだけもつ幸せ

僕には宝物といえる「モノ」がある。

たとえば、サンフランシスコから車を三時間飛ばしたところにある、世界でいちばん履き心地がいい靴をつくる「MURRAY SPACE SHOE」のフランクさんが、僕のために精魂こめてくれた手づくりの靴。

たとえば、『高村光太郎詩集』と、ヘンリー・ミラーの『北回帰線』と、ジャック・ケルアックの『路上』。

理想をいえば、自分との間に「物語」があるモノだけに囲まれて暮らしたい。一生つきあい、なくなったら寂しいと思えるモノだけをそばに置いて生きていきたい。

たとえ人に「安っぽいガラクタでしょう」と言われるモノであっても、それと出会ったときのこと、それにまつわる人々、それに対する自分の思いという「物語」があれば、壊れた花瓶だって宝物だと僕は思う。

モノとの出会いは、人との出会いによく似ている。

本を例にとると、とくにわかりやすいだろう。

本屋さんに行って出会い、第一印象でまず、興味を惹《ひ》かれる。手にとってぱらぱら眺め、気に入ったら買うわけだが、読み始めたとたんに一気に読める本もあるし、何回トライしてもまったくダメな本もある。読み終えて、あらすじがわかればそれでおしまいという本もあれば、ボロボロになるまで何度も繰り返し読みたい本もある。


人に言うとびっくりされるのだが、僕の蔵書は少ない。

本について文章を書いたり、古書店を経営したりしているので、「貴重な本がぎっしり詰まった立派な書斎をもっているんでしょう?」と言われることもあるが、実際はまるで違う。基本的に、冒頭にあげた三冊で充分というのが本当だ。

この三冊は永遠の友だちのようなもので、さまよっていた一〇代の頃から、どんなときも一緒だった。今も折に触れて読み返したくなるし、そのたびに印象が違う。

暗記するほど読んだはずなのに、なぜ毎回わくわくするのだろうとうれしくなる。なぜこんなに毎度違うふうにとらえ、新しい感動があるのだろうと不思議に思う。心がしぼんでしまいそうなとき、なつかしいお日さまみたいにあたためてくれることもある。うれしく不思議であると同時に素晴らしいことで、やはり大切な本やモノは、つきあいが長くなるほど関係が深くなる相手と同等なのだろう。

友だち、家族、恋人。そんな存在が、クローゼットからあふれ出るほど増えるのはどう考えても不自然だし、だからこそ、不必要な本やモノはいらないと思うのだ。

人間には所有欲があるから、放っておけばモノは自然と増える。娯楽としての買い物もある。習慣としてモノを集めることもある。

僕にしても、自分の自由になるいくばくかのお金をもつようになった頃は、季節ごとに服を買う習慣があった。決して豪華な買い物ではないが、夏になったらTシャツを買おう、冬にはコートが欲しいといった具合だ。

だがあるとき、春夏秋冬、毎回服を買う必要があるのかという疑問がわいた。ルーティン、習慣、「なんとなく」で買うモノが増えるのは、あまりにもむなしいのではないかと。たまにしか連絡もとらず、会っても世間話をしてさようなら、という薄い関係の友だちや恋人なんていらない。まして、そんな関係の家族など存在しないだろう。

「足ることを知る」という、本当の満足を知りたい気持ちもあり、僕はむやみにモノを買わないと決めたのだ。

僕の所有欲が薄いのは、「心の中でもっていればいい」と知ったためでもある。アメリカと日本を往復していた貧しい二〇代の頃、僕は所持品を売ったことがあった。旅で集めた大切な品、人からのプレゼント、めぼしい自分の持ち物。大切にしていたモノだったが、おなかが空いてたまらなかったので、家の近くの地べたに品物を並べ、道行く人に声をかけた。

フリーマーケットなどという体裁のよいものではない。ほとんどホームレスに近い姿だったと思う。しかし、全部売れてお金を手にしたとき、「大事なモノだと思っていたけど、おなかが空いて生きていけないとなると、どうでもよくなるんだな」と気づいた。

さらに、「たとえ大切なモノであっても、必ずしももっている必要はない。頭の中や胸の中にしまっておけば、いつだって取り出せる」と知った。

その瞬間、僕はとても軽くなった。

心にしまわれたモノの記憶は、かさばらないし、持ち運びもラクだ。

「本当に大切なモノ」だけを少しもち、さらに心の引き出しに整理してしまえば、あなたも、もっと「軽くなる生き方」ができると思う。

大切なのは「持ち味」を生かすこと

「もう、いらない」という判定を持ち主から下されたものを、引き取って、選んで、生かす――。それが古書店の店主である僕の仕事だ。

人が読み終わって不要になった本を再利用することは、少し大げさにいえば「もう一回、命を吹き込む」ことだと思う。

いったん役割を終えた本でも、「あっ、これはこんな内容なんだ」という新しい価値を見つけ出そうとする。新しい価値を見つけ出したら、その本らしさを最大限に生かすには、どうしたらいいかを考える。

少し皺《しわ》のよったカバーを、元どおりきれいにするだけでいいかもしれない。本によっては、前の持ち主が繰り返し読んだらしきヨレヨレ具合も、新しい価値であり、アピールポイントになるかもしれない。

いずれにしろ、「その本らしくない演出」はタブー。

気楽にさらさら読めるミステリーを重厚な哲学書のように扱ったら、その本の価値を生かすことはできないし、もう一回、命を吹き込むなんて不可能だ。

「持ち味を生かす」というのは、本だけに限らない。

料理にしても、素材の持ち味をできる限り生かすのが、おいしいものをつくるコツだ。たとえば、生でかじるのが絶品という野菜を、コトコト煮込んでスパイスまみれにしたらどうだろう？　そう、せっかくの持ち味が台無しになる。

人と人との関係にしても、相手のよさを生かすのが、いちばんいいつきあいになる。

たとえば、とても大切な恋人がいたとする。

彼女に対して自分の気持ちを押しつけ、「きみは、こんな服を着ればいい」「もっと違う、こんな仕事をしたほうがいい」とコントロールしたらどうだろう？

好きだから出た言葉であっても、一方的に自分の要求を押しつければ、生かすどころか、相手の生き方を殺してしまうことになる。そんなふるまいをするのなら、どんなに気持ちがあるつもりでも「その人を愛していない」と僕は思う。

愛するとは、相手を生かすこと。

愛されるとは、自分らしさを生かしてもらうこと。

人と人との関係であれば、生かしても、生かされても、それに見返りを求めない。それが本当の愛だと思うのだ。


こんな話をすると、「あるがままでいい」という、耳に心地いいロマンチックな言葉に聞こえるかもしれない。

だが、本当の意味で「持ち味を生かす」には、とてつもない努力がいる。

野菜なら、その野菜の持ち味はわかりやすい。生がいいか、ボイルがいいか、ちょっと料理ができれば、即座に判断できるだろう。

古書となると、もう少しレベルが上がる。あるがままでいたら埃《ほこり》まみれの本が、ちょっと布でこすっただけで素晴らしいデザインだったと判明し、それが持ち味だったりする。また、本というのは不思議なもので、ある人にとっては退屈な内容が、ある人にとっては人生を変える一冊になる。出会いもまた、古書を「生かす」ことには作用するというわけだ。

そして、人を生かすとなると、これはかなり難しい。

この世の中に、「あるがままでいながら自分らしく生きている人」は、いったいどれだけいるだろう？

「自分の持ち味を生かせるやりたいことを見つけた！」とばかりに選んだ仕事が、まったく向いていないこともある。

忙しさから自分らしさを見失って、誤った道を全力疾走してしまうこともある。

「一緒に生きていく相手は、この人だ」と選んだパートナーが、おたがいの持ち味を殺してしまう悲しい相性、というケースも残念ながらあるだろう。

こんな難問の中をさまよってきて、僕が見つけた方法が一つある。自分を生かし、人を生かす、僕なりのやり方だ。

それは、「持ち味」を自分一人で探そうとしないこと。同時に、「目の前の相手の持ち味」を見つけ出し、生かしてあげようと、一生懸命に努力すること。

少し前まで、僕の世界の中心には僕がいた。いかなるときも自分を中心にし、自分を中心に考え、自分らしさを決め、まわりの人の「持ち味」も決めつけてきた。

だが、四〇歳を過ぎたあるとき、ふと気がついた。

「これまで、たくさんの人が、僕も知らなかった僕の『持ち味』を、一生懸命に見つけてくれた。どんな場所ならその持ち味を生かせるかを、一緒になって考えてくれた」

つまり、僕はたくさんの人に生かされて生きてきたのだ。

全部わかったつもりで、すべて自分のセンスと判断で決めてきたつもりでいたが、それは実に子どもっぽい、大いなる勘違いだった。

だから今、僕は「どうすれば人を生かせるか」を、考えている。

「家族もしくは愛する人限定」ではない。友だちでも仕事相手でも、自分と関係をもつ人である以上、目の前にいる人を生かす方法を、一生懸命に努力して考えたい。

自分の要求を押しつけるのではなく、その人がその人らしく生きられるよう、僕の能力でできる限り、生かしてあげたい。

仮にその人が道を誤っていると感じたら、その人にぴったりの道を必死になって考えて「こっちもあるよ」と教えてあげたい。

たぶんこれが、「人を生かすこと」であり、それによってまた、「自分も生かされる」のだと思っている。

気まずいことでも正直に言う

人づきあいをするなかで、僕が心がけていることがある。

それは、「これはおかしい」と思ったら、はっきりと言葉にすること。はっきり言いすぎて、むしろ、うるさがられるくらいだ。

友だちに対しても仕事においても、なにか気がついたことがあったら、それがたとえ言いにくいことであっても口に出す。もちろん、そこには相手を敬う礼儀があってのことだが、感じたことを正直に言うことこそ、ずっとつきあっていく相手に対する愛情だと信じているからだ。

先日、ある外国のカメラマンと仕事をした。スケジュールはぎりぎり。すぐに印刷所に渡さなければ間に合わない状況だった。

綱渡りをしているときに限ってトラブルが起こる。案の定、いざ届いてみたら、原稿も写真も、いいものではなかった。一般的なクオリティはクリアしていたが、依頼したとき僕がイメージし、おたがいに「こうしよう」と確認したものとは違っていた。

それでも「原稿をやり直して、もう一度、違う写真を撮ってきてください」という時間の余裕はなかった。

すべての仕事には締め切りがある。「いいものができるまで、やる」なんて現実には不可能で、時間の制約のなかでベストのものを出すしかない。

カメラマンは締め切りには間に合わせてくれたし、実際、その作品を使うのだから「ありがとうございました」ですませることもできたと思う。

だが、僕は感じたことを正直に言った。相手を責めるのではなく、次の仕事で同じことを繰り返さないために、今回の仕事がベストでなかったことをありのままに伝えたのだ。

すると、返事はすぐに来た。

メールには「実は私も、当初話していたイメージとは違うものになってしまったと思っていた」と書かれていた。謝罪の言葉がないのは当然で、「ベストのものを出して買ってもらう」というのがプロの商売だから、謝ってしまえば、今回の仕事を否定することになると思うのだ。

そしてさらに、カメラマンはこう記していた。「あなたがはっきり指摘してくれてよかった。今回は差し替える時間はないけれど、次の仕事でがんばってお返しがしたい」と。

非難や否定ではなく、相手を生かし、次に生かすにはどうしたらいいのかを真剣に考えたい。その人と一生つきあっていきたい、一緒に仕事をしていきたいと思ったからこそ、たがいにとって気まずい指摘もはっきりとしたかったのだ。

たとえ言いにくいことでも、クレームでも、「正直に言うこと」はとても大切だと思っている。

仕事の基準がブレなくなるし、おたがいを尊重することにもつながるからだ。

逆の立場で、僕が原稿を書く際も、編集者にダメ出しをされることがある。

「ここの文章は読者にはわかりにくいので、書き直してください」などと言われると、聞いた瞬間はとまどうけれど、頭を冷やしてみれば、本当にありがたいと思う。

「この人は、僕の原稿をきちんと読んでくれているんだな」

そんな感謝がわいてくる。原稿で迷ったとき、この編集者になら相談できると思う。

言いにくくても感じたことをはっきり言うとは、正直に相手に反応するということだ。これはたいそうエネルギーを要するし、相手に愛情がなければできない。

だからこそ、プライベートでも「あれ?」と思ったことがあれば、はっきり言おう。

たとえば友だちと話していて、相手の言った何気ない一言にとても傷ついたとする。悪気はないのはわかっているけれど、それは自分にとってはデリケートな部分で、イヤな思いが消えないとする。

そんなとき、言葉をぐっとのみ込んで我慢してしまったら、相手はあなたの

「傷つきやすいツボ」を知らないままになってしまう。今回はうやむやにやり過ごせても、次に同じことが起きたときは爆発し、友情は台無しになってしまうかもしれない。

相手が大切な友人であり、ずっとつきあっていきたいのなら、勇気を出してこう言おう。「あなたが好きだからこそ言うけれど、その一言に、今、私はとても傷ついた」と。

「あなたの言葉に傷ついた」などと言われれば、相手は驚き、一時的には気まずくなるかもしれない。口に出したあなたも友だちを非難したような罪悪感を抱き、落ち込んでしまうかもしれない。僕も実際、何度もそんな事態に直面している。

だが、一時的に気まずくなるほうが、わだかまりを少しずつため込んでいって、いつのまにか取り返しのつかない溝ができてしまうよりも、はるかにいい。

言いにくいからといって我慢し、傷ついた気持ちを放っておけば、やがておたがいの感情はもっと悪くなる。

はっきり言った場合、相手は最初ムッとしても、やがて冷静になるだろう。もし、あなたが感じているのと同じ愛情を相手ももっていれば、「ああ、この人は、こういうことで傷つくんだな」と理解しようとしてくれる。「これから、こんな点に注意してつきあっていこう」とおたがいが相談することもできる。

逆に、相手があなたの発言に対して傷ついた場合も、それを言いやすくなる。これを繰り返していけば、二人の関係は今よりもっといいものになるだろう。

友だちでも恋人でも仕事でも、大切な人にこそ、「違う」と思ったら正直に言おう。

スキップしながら、仕事をしよう

実は、僕はかなりの恥ずかしがり屋だ。だからこそ、「正直に言う」というポリシーをわざわざ掲げているのかもしれない。

とはいっても、僕に限らず、ほとんどの人は恥ずかしがり屋なのではないだろうか？

いつもと違う方法をとる、ちょっとした工夫を試す、仕事で必死になる――むきになる自分を人前で見せることは、たまらなく恥ずかしい。

「できればいつも淡々と、表情ひとつ変えずにさらっとしていたい」

こう願う人はたいてい、恥ずかしがり屋だ。

たとえば新しいお店に入っても、わくわくしてメニューをすみずみまで眺めるのではなく、「あ、コーヒーください」とあっさり言ったほうが格好いいと思っている人がいる。

だが、マンゴージュースやハーブティーもあるのにトライせず、いつもコーヒーだけ飲んでいる人生は、クールかもしれないが、せっかくの楽しいチャンスを逃してしまっているような気がしてしまう。

仕事の場でも、手馴《てな》れたやり方でさらりとこなしたほうが、格好よく思えることがある。ベテランになればなるほど、慣れないやり方をすることは恥ずかしい。

「昨日とまったく同じ仕事だけれど、なにか工夫して変化を起こそう！」

こんな試みはたいてい、「手馴れたクールなやり方」と対極にあるから、ときとしてじたばたするはめになり、かなり恥ずかしい姿となる。

一生懸命にチャレンジすることは、恥ずかしいことなのだ。だから、逃げたくなる。

新人の頃なら、「昨日までは普通に歩くように仕事をしていたが、今日は大きく手を振って歩いてみよう」という小さな工夫でも変化になるが、経験を積むと、ありとあらゆる工夫はすでに試してしまっている。

大きく手を振るという変化がとっくに「使用済み」ならば、飛び跳ねたり、スキップしたりという極端な工夫をしないと、新しい変化は起こせない。

普通に歩いていてもこなせてしまうことを、あえてスキップしながらやってみる。大人になってスキップするのは恥ずかしいけれど、大人こそ、スキップをしたほうがいい。大人になればなるほど恥ずかしさは増すが、大人になればなるほど、それに照れてはいけない。

照れないこと——これは初々しさを忘れず、変化し続け、軽やかに楽しく生きるために必要な勇気だ。

正直であること、感情をむき出しにすることも、大いに照れる。

『暮しの手帖』のなかで、僕は折に触れて仕事の方針や理念について話をするが、格好いいスローガンだけ並べても意味がない。

価値観や基本的な考え方を共有したいという根幹に話題がおよぶと、「なんとかしてわかってほしい」という気持ちが洪水みたいにあふれてきて、思わず話しながら涙してしまうこともある。

大人が泣きながら話すなんて、はたから見れば滑稽《こっけい》で恥ずかしいことかもしれない。

だが、生身で真摯に対峙《たいじ》する自分の姿に照れてしまったら、言いたいことなんて、なに一つ相手に伝わらない。自分の正直な考えについて、感情を押し殺して話すのは不可能だ。

生まれて初めて恋をした相手のことを、思い出してほしい。

気持ちのありったけを伝えようとする姿は、他人事として見れば、ぶざまで照れくさく、恥ずかしいものだったかもしれない。だが、クールな告白をメールで打っていたら、愛する気持ちなんて伝えられないのではないか。

自分の真剣さに照れず、愛することにひるまず、恥ずかしさを乗り越えてこそ、思いは伝わる。

本当に恋をしたことがある人であれば、その姿を「滑稽だ」なんて思わない。あたふたする姿を「子どもっぽい」なんて笑わない。

仕事でもこれは同じだろう。そして初恋に限らず、すべての人に対して照れくささを超えた愛を示せば、世界はもっと楽しくなる。

だから、僕は照れくささをごくりとのみ込み、今日も「恥ずかしいふるまい」をしようと決めている。

スキップしながら、仕事をしよう。

勇気をもって、恥ずかしいことをしよう。

照れくささを胸に秘めた格好悪い姿は、そうそう捨てたもんじゃない。

いちばん格好悪い部分を、真っ先にさらけ出す

僕はいつも、情けない自分、恥ずかしい自分を常にオープンにしている。たとえ会社でだって、失敗の話ばかりしている。

思えば、子どもの頃から、「いばる大人」にだけはなりたくなかった。

一〇代の終わりから二〇代にかけて、ほとんどを年上の人とともに過ごした。そのなかで、僕がグラッときた格好いい人は全員、絶対に、いばらなかった。「すてきな大人は、いばらない」。大切な人たちがそう教えてくれた。だから僕は、いばるようになったら、おしまいだと思っている。逆に、情けない部分こそ、めいっぱい見せてしまったほうがいい。

恥ずかしい話といって、すでに時効になった若き日のやんちゃを話す大人は多いが、僕の場合はいつもライブ中継だ。

たとえば僕は、時間のあるときはたいてい、昼ごはんは編集部員みんなで、休憩室に集まって食べている。そのとき、プライベートな話もする。娘が最近、あ

んまりしゃべってくれないとか、奥さんと喧嘩《けんか》をしてモノを投げられ、僕は仕方なく土下座したという格好悪さも自分からどんどん話す。

会社という組織には上下関係があるから、おたがいに「上司の役」「部下の役」だけこなしてつきあうこともできる。でも、それでは人間としてのつながりはもてない。

仕事では厳しく叱ったり、絶対にこれはしてほしいと強く念を押したりするが、そういった仕事とは別の、情けなくて格好悪い面もあるのが、僕という人間なのだ。相手にしたって、仕事上はおとなしくて真面目だが、プライベートになれば女王様みたいなキャラクターという一面も、もしかしたらあるかもしれない。

それなのに、仕事の顔だけでつきあっていたら、リラックスできないし、いつもガラス越しに話しているようにもどかしい。なにより、おたがいが心の底から通じ合うことなどできないだろう。仕事とプライベートは別、と割り切る人もいるかもしれないけれど、どうしても関係し合うのが人間だ。

いざというとき、この人についていくか、黙ってこの人の言うことを聞くか――。それは、仕事ができるとか、立派な上司という観点ではなく、人間としてその人を信じるかどうかで決まる。

いざというとき、この人になら任せてもいい、この人ならきっとやってくれる――。その覚悟は、仕事ができて優秀な人材だという理由だけではできない。人間としてその人を信じられるかどうかで決まる。

人間である相手をまるごとわかり合ったうえでつきあわないと、本物の信用は築けない。

仕事以外でも、僕はいつでも情けなくて格好悪い、もっといえば異常な自分をさらけ出す。自分から先に心を開く。

人間には「正常」と「異常」が同居しているのが常で、それが人間らしいということだ。

僕の解釈では、「異常」とはユーモアだと思う。

もし、自分に好意をもってくれる人がいたら、僕は隠しもっている異常性を、真っ先にさらけ出す。

最初に、「正常」で体裁がよい八〇パーセントを少しずつ見せることからつきあいが始まると、だんだん見せるところがなくなっていく。最後に残っているのが二〇パーセントの「異常」だと、「ここまで知ったとき、この人に嫌われてしまうかもしれない」という不安を抱えたまま、つきあうはめになる。

だから僕は、最初に「異常」を思い切って見せてしまうのだ。それで引いてしまう人とは、それっきりでもかまわないし、縁がなかったと思うしかない。

もっとも、異常性、情けなさ、格好悪さとは、自分一人で思い悩んでいると変になってしまうくらい恥ずかしい部分かもしれないが、みんながもっている面だ。

そして、それこそ人間の「いとしい部分」なのだと僕は感じる。

いつもいばっている仕事の達人となんて、一緒に働きたくない。

いつもスキがなく完璧な人なんて、一緒にいてもつまらない。

仕事でも人生でも誰かと深くかかわりたいなら、まず自分から、情けなさをさらけ出してしまおう。「異常」なところを見せ、格好悪い面をオープンにし、まるごとでかかわろう。そうしてこそ、本当の意味で公私の区別がつく。仕事の場ではきちんとルールを守りつつ、相手の人間性を尊重することもできると、僕は思う。

あいさつは「人生のお守り」になる

あたりまえのことこそ、ていねいにしたい。その一つが、あいさつだ。実に平凡でちょっとしたことのように見えて、あいさつほど大事なことはないと僕は思う。

あいさつは、気分をつくり出す。朝の気分、仕事の気分、元気な気分、やさしい気分。どんな気分にせよ、あいさつがイヤな気分をつくり出すことはまずない。

僕が知っている超一流のあいさつ名人は、故・百瀬《もも せ》博教《ひろみち》さんだ。著名人とのつきあいや獄中生活、その後のもっと破天荒な日々まで綴《つづ》った『不良日記』で知られる作家であり、旅や交友録の著述も多い。

百瀬さんはずっと年上で有名な人なのに、若造だった僕にも、いつも自分のほうからあいさつしてくれた。たとえ横断歩道の向こう側にいようと、はるか遠くを歩いていようと、僕の姿を見つけた瞬間、大声で叫ぶのだ。

「おーい、松浦くーん！　こんにちは！」

慌てて僕が走り寄っていき、「すみません、百瀬さん。今日は僕のほうが先にあいさつしようと思っていたのに」と言うと、いつでも豪快に笑った。そして、こんなことを教えてくれた。

「僕はあいさつが好きなんだ。人間はあいさつが大事なんだよ」

思えば一〇代で初めてアメリカに行ったときも、なにより驚いたのがあいさつだった。

偶然、エレベーターで乗り合わせただけの知らない人に、ニコッとしてあいさつする。お店で買い物をしただけでも、店員がお釣りを渡しながら、こう言ってくれるのだ。

「Thank you. Have a nice day !」

ありがとう、いい一日をね。

この一言で、ひとりぼっちで街をうろうろしていた僕の心は、どれだけあたためられただろう。

あいさつのパワーを知っているから、僕はあいさつをとても大切にしている。

コンビニで買い物をしても、最後に必ず「ありがとう」とはっきり言う。

高速道路の料金所でコインを渡すときも、あいさつをする。

自分の番が来て窓口に横づけし、すうっと車の窓を開けると、まず「こんにちは」と言う。係員の人がちょっとびっくり顔で「七〇〇円です」などと言うと、お金を支払い最後に「ありがとう」と言って発車する。

「ねえ、いつも高速の料金所で、いちいちあいさつしているの?」

一度、助手席にいた友だちに驚かれたことがある。

今はETCなどで自動的に課金できるくらいだから、料金所の係員には無言でお金を出すのが普通だという考え方もあるだろう。だが、それではあまりに悲しいと僕は思う。

「世の中を明るくハッピーにしたいから、みんなであいさつしよう」なんて言うつもりはない。もちろん、あいさつにはそういった効果もあるが、自分を守ってくれる「人生のお守り」だというのが、僕の考えだ。

なぜなら基本的にあいさつとは、元気よくポジティブにするものだ。もし、体調がボロボロで気分も悪ければ、知らない人にまであいさつはできないし、知っている人にも「おはようございます……」と口の中でモゴモゴつぶやくだけになってしまう。

いいあいさつをするには、気持ちも体も健康でいなければならない。健康は一生懸命に生きていくために絶対に必要なことだから、あいさつは自分のコンディションを測るバロメーターになってくれるというわけだ。

あいさつはまた、人づきあいの武器にもなる。

あいさつ一つで、知らない相手に対して、いい人になることもできる。笑顔できちんとあいさつできる人間になれれば、対人関係は「怖いものなし」だ。どんなことでも、乗り越えられる。

仕事でも、友だちでも、ちょっとした知り合いでも、笑顔で「こんにちは」と接すれば、そこには、あたたかな関係が生まれる。

たとえしかめっ面の上司でも、にこっと向こうからあいさつしてくれたら、なんとなくうれしく思うものだ。あなたがいつも笑顔であいさつすれば、それがやがて仕事やつきあいにつながっても不思議ではない。

あいさつは気分をつくり出すと同時に、人との関係のスタートともなる。

笑顔のあいさつから生まれるパワーを、ぜひとも信じてやってみよう。

人を酔わせるほめ方、うっとりさせる笑顔

アメリカ人のあいさつは盛大だ。

「会えてよかった！」という気持ちを口々に述べ合い、男女を問わず、別れ際には抱き合う。親しければキスも交わす。

アメリカに行ったばかりの頃はびっくりするとともに、「ああ、こうやって人に接していなければ、自分という存在は忘れ去られてしまうんだな」と感じたものだった。

見慣れたはずの今でもどきどきしてしまうが、それでも「あっ、こうやって人に接していないと、伝わらないんだな」と思う。

アメリカ人が盛大なのは、あいさつだけではない。

「なんてすてきな靴だろう！」

「きみみたいにチャーミングに話す人はなかなかいないね」

こんなふうに、いいと感じたことは全部口に出し、ひんぱんに人をほめる。

いや、むしろ人に会ったら「どこかほめるところはないかな?」と探す癖がついていて、それを言葉にしているような気もする。

アメリカでなんとなく気がついていたことを、自分もきちんと実行したほうがいいと教えてくれたのは、前述した、あいさつ名人の百瀬さんだった。

「人をほめろ」などという単なるアドバイスとしてじゃない。百瀬さんは自分が行動することで、身をもって教えてくれた。

「松浦くん。きみは本当に、きれいな目をしているなあ」

彼は僕に会うたび、しみじみと言った。僕ばかりでなく、誰かに会うとなにかいいところを見つけ、実感をこめてほめた。

「あなたみたいな人は、なかなかいないよ」

百瀬さんにこう言われたとき、僕は酔いしれた。百瀬さんは、人を酔わせる天才だった。うれしさを通り越し、心がとろりとしてしまうのだ。

そのとき僕は、変な意識は捨て、人をほめることの大切さを教えてもらった。

あなたが男性であれば、女の子に「きみはとてもすてきだね」なんて言うと下心があると思われそうで心配かもしれない。だが、そんな心配はぐっとのみ込んで、臆することなく言葉にしよう。職場の女性に対しても、口に出してほめよう。それをきっかけに恋人になろうというのではなく、人間対人間としてつきあおうというアプローチなのだ。だからもちろん、同性に対しても同じようにすべきだ。

男性でも女性でも「きみみたいにすてきな人はいないね」とストレートにほめると、「えっ、なに？　本当ですか？」といったリアクションが返ってくることもあるかもしれない。だが、そこでひるむことなく、こう答えよう。

「ああ、本当だよ。きみみたいな人はめったにいない」

そのとき、言葉に嘘《うそ》があってはいけないことはもちろんだが、それを証明するパワーをもつのが、笑顔だ。

百瀬さんの言葉は人を酔わせたが、百瀬さんの笑顔には、人をうっとりさせる力があった。うっとりさせる笑顔をもっていれば、単なる仕事仲間とも、朝、新聞を買うだけのスタンドの人とも、人間対人間の関係を築くことができる。

とろけそうに、うっとりさせる。こんな笑顔をもっていたら、世界に怖いものなんてありっこない。

意識して「一人になれる時間」をもつ

毎日を心地よく、軽やかに生きるための必要条件は、「心身の健康」だと思っている。

健康管理は社会人としての最低限の礼儀だ。健康になるには、生活のなかで自分をすり減らしてはいけない。

そのためには、「規則正しい生活」が必要だ。

まず、よく寝ること。

僕は、基本的に毎朝五時に起床、就寝はたいてい夜一〇時。夜になったらちゃんと眠り、体を休める。過去には、睡眠時間を削っていた時期もあったけれど、充分な睡眠時間をとらないと、結局効率が悪いということに気づいた。

それから、暴飲暴食をしないこと。

ときどき遊ぶこと。

そして、よく歩くこと。

僕は自分でもよく歩くほうだと思う。一人でただ、ひたすら歩く。歩く場所はどこでもいい。自然の中じゃなくてもいいし、きれいな川べりの道である必要もない。家の一駅手前で電車を降りて歩くこともあれば、友だちと待ち合わせたお店まで歩くこともある。

ごく日常的な散歩をひんぱんにするのは、体にいいこともあるが、心の健康のためでもある。

歩くこと。すなわちそれは、「一人になれる時間」だからだ。

犬を連れているわけでもない。誰かと連れ立っているわけでもない。音楽も聴かないし、街の風景は眺めているようで眺めていない。

僕は歩きながら、いつもなにかを考え、もの思いにふけるようにしている。

もの思いにふけるとは、想像力を枯らさないよう、毎日欠かさず水をやるようなことだ。想像力が枯れてしまったら、自分という木が倒れてしまう。

だが、尋常でなく忙しかったり、気持ちがささくれるような出来事がざわざわと増えたりしてくると、心がくたびれて、想像力が枯れそうになってしまうことがある。

そんなとき、僕は一人で散歩をする。歩いていくうちに、だんだん心が静かになっていく。右足と左足を交互に出し、いつもより少し大きく手を振り、たった一人で黙々と歩いていると、少しずつ自分のペースが取り戻せる。

こうなればしめたもの。すうっと心にゆとりができ、もの思いにふける隙間が生まれてくる。あとはとりとめもなく、好きなだけ考え、思索すればいい。

たとえほんの三〇分でも、散歩が終わる頃には、想像力もたっぷりと「考えるという水」をもらって、少し元気になっているはずだ。

一人で考える時間、もの思いにふける時間が、心身の健康をつくっていく。


もの思いにふける余裕を取り戻すもう一つの方法は、鏡を見ること。

お化粧をするとか、髭《ひげ》をそるといった目的のためではない。まるで見知らぬ生物のごとく、とっくりと鏡の中の自分を「観察」するのだ。

髪の毛がこんなふうにおでこのラインを縁取り、目はこのバランス、口もとはこう。美醜やしみなんかをチェックするのではなく、客観的に眺めてみる。

自分の顔というのは、よく知っているようで意外に知らないものだ。

顔というのは日によって変わるから、女性だって観察するたびに発見があるだろう。

「今日はなんだか疲れている」

「やけに悪そうな顔だ」

「おっ、なかなかいいじゃないか」

もしかすると、「これが自分だ」と思っているイメージは、中学生くらいのときの自分のままかもしれない。少し思い切りが必要だが、裸んぼうになって鏡の前に立ってみれば、体全体のバランスが崩れているとか、右肩が下がっているとか、顔以上にたくさんの発見があると思う。

僕はべつにナルシストではないし、筋トレ・マニアでもないが、ときどき全身を鏡に映して観察している。面白いと思うときもあれば、できれば見たくなかった衰えぶりに気がついて、落ち込んだりもする。

いずれにしろ自分を客観的に眺めると、ありのままの現実を知り、受け入れることができる。そうすると新しい角度で自分について考え、もの思いにふけるきっかけとなる。しばらく一人でもの思いにふければ、不思議と新鮮な気分がわいてくる。そこが、すべてのスタートになる。

自分を見つめ、自然の摂理に逆らわないこと。それが健康の秘訣《ひけつ》かもしれない。

「逃げ場所」を確保しておくことのすすめ

そこに行けば、一人になれる。

そこに行けば、思うぞんぶん考えられる。

そこに行けば、落ち込んだり、傷ついたり、人波に流されてしまいそうなときも、自分に立ち戻れる。


そんな「避難場所」をもつことは、とても大事だ。人生の必需品だし、仕事をしていくうえではライフジャケットにもなる。

「逃げ場所」は旅先のどこかかもしれないし、旅自体ということもある。公園かもしれないし、海辺かもしれない。特別な場所である必要はなく、喫茶店でも、電車の中でもいい。自分の家のどこかでも、近所の散歩道だっていい。

どこを「逃げ場所」にするかは、人それぞれだ。

ページがこすれ合う音すら響かない図書館のごとく、とにかく静寂が重要と言う人もいるだろう。静かな場所だと雑念ばかりがわいて落ち着かないから、あえて都会の喧騒《けんそう》のさなかがいいと言う人もいる。

「逃げ場所」とは、物理的にではなく、精神的に一人になれる場所。「あそこに行けば、自分が自分らしくなれる」という心のお守りのような場所。

僕もいくつかそんな場所をもっていて、そのときの状況に合わせて行くようにしている。そしてじっくりと自分の心と向き合い、じっくりと考える。

コンピュータをリセットするみたいに、いらない思い、こんがらがった人間関係、意味もなく増えた仕事を放出し、裸んぼうの自分になるのだ。

人は人と一緒にいると、少なからず影響を受ける。それがいい場合と悪い場合がある。だからときにはいっさいの影響を遮断して、一人になることが必要になってくる。

家族がいて、仕事があって、どんなに大切な人がたくさんいても、僕という人間の「単位」は一人だし、まわりの人の単位も「一人」だと思う。

一対一で人としてかかわり合うために、僕は散歩に出たり、旅に出たり、「逃げ場所」を確保したりするのだ。

僕の「逃げ場所」の一つは、サンフランシスコのバークレーにある、お気に入りの宿だ。

「松浦弥太郎が行方不明になったら、僕はきっと、そこにいるよ」

親しい人にこう言っているくらいだ。

まあ、行き先を知られていたら失踪にならないが、万が一なにもかもがイヤになったとき、僕はあの場所に逃亡するだろう。

もちろん現実には、真夜中、ふっと思い立ってサンフランシスコに飛ぶというのはけっこう難しい。だが、「あそこにさえ行けば、自分が自分らしく戻れる場所」を確保しておけば、たとえ実際には行けなくても、心はずいぶん軽くなるのだ。

——さて、あなたの「心の逃げ場所」は、どこだろうか？

第2章

仕事で生かす、生かされる

「選ばれる人」になる三粒のサプリ

僕たちは、無数の選択をして生きている。

右に行こうか左に行こうかを選び、地下鉄にしようかバスにしようかを選び、サンドイッチにしようかオムライスにしようかを選び、この人と手をたずさえて生きるか、あの人に引っ張られて生きるかを選ぶ。

ここで忘れがちなのが、「いつも自分が選ぶ側ではない」という点だ。世界は自分を中心に成り立っているわけではないから、受け身になり、選ばれる側にまわることも現実にはしょっちゅう起こる。

「選ばれる」とは、相手があなたに愛情をもち、あなたの価値を認め、あなたを生かそうとしているということ。

だったら、選ばれないよりも、「選ばれる人生」のほうがずっといい。

「きみでなければダメなんだ」と誰かから必要とされたい。

「選ばれる」ケースといえば、愛情関係やテストのたぐいもそうだが、いちばんわかりやすい例は仕事かもしれない。たとえば、何人もいる同僚のなかから選ばれ、「この仕事はきみに任せよう」と言われたら、誰だって悪い気はしない。それがずっとやりたかった仕事であれば、なおさらだ。

「難しいかもしれないけれど、チャレンジしてごらん」という言葉は、懸命に働いている人の気持ちをポンと元気づけてくれる。

一方、いつも選ばれない側だったら、かなりつらい。

たいていの仕事には、「チャレンジ」と「キープ」の二種類があると思っている。「選ばれない人」は後者を任されることが多い。

プロジェクトAにも選ばれず、プランBにも選ばれず、誰がやっても同じような「キープ」の仕事ばかり任され続けていたら、だんだん気持ちは萎えていく。

まるで、毎日毎日、同じ時間に草に水をやるような仕事。もちろん、世の中には「キープ」の仕事も必要だ。「キープ」のなかでも「チャレンジ」することはできる。

ただここでいいたいのは、「チャレンジ」の気持ちを失って、なにも期待されない仕事ばかりを繰り返せば、草よりも先にしおれてしまうのは、人のほうかもしれない、ということなのだ。

「選ばれたい、生かされたい」

あなたが僕と同じようにそう願うのなら、よく効く三粒のサプリメントがある。

一粒目は、観察すること。

まわりの人が、どんな人であるのか関心をもつ。身近で起きていることに新鮮な好奇心をもつ。「この人はなにに興味があるのだろう」あるいは「いつもと雰囲気が違うな」などと、すべてをじっくり観察するのだ。

すると、ありふれた職場の光景でも、毎日新たな発見があるだろう。仕事にも人間関係にも役立つ情報収集ができるので、選ばれる確率は高くなる。

二粒目は、察する力をもつこと。

でこぼこだらけの道を、サイズが合わない靴で歩いている子どもがいたら、それを観察しているだけでは意味がない。

「あっ、このまま止めずに歩かせたら、転んでしまう」と想像できるかできないかで、事態は大きく変わってくる。つまり、観察して集めた情報をもとに、状況を見ながらシミュレーションできる人が、選ばれるということだ。

察する力、想像力というのは、すべての仕事に欠かせないと僕は思う。

「話し方をこうしたら、この人は伸びるし、次の企画もうまくいくな」

「今の条件でこの方法を押し通すと、この段階で無理が出るかもしれない」

こういった思考ができないままでいると、いずれどこかでつまずくだろう。

三粒目は、コミュニケーションする力をもつこと。

情報を集め、察することができたら、実際に相手とかかわりあおう。

子どもが転びそうなら手を差し伸べる。あいさつももちろんだが、ときには感情をむき出しにして正直に反応する。これを続けていけば、おたがいに踏み込んだ相談もでき、あらゆる人に選ばれるようになるだろう。

ところで、僕が三つの条件を「サプリメント」と書いたのには理由がある。

「選ばれる人」になるかどうかは、生まれつきの能力や特殊な才能で決まるわけではないと、わかってほしいからだ。毎日欠かさず、この三粒を飲み込み、マスターする努力を続ければ、誰だって「選ばれる人」になれる。

かつて僕の出会った仕事仲間に、察する力が皆無だった人がいた。「皆無だった」と書いたのはもうそうではないからだが、正直なところ最初は「よくこんなぼうっとした人がいるなあ」と驚いたくらいだ。しかし彼にはいいところがたくさんあり、一緒にずっと働いていきたいと僕は思った。彼を選び、生かそうと決めたのだ。

そこで僕は「想像してごらん。どうなるか考えてみて」と五年間、言い続けた。彼が必要だったからだ。まるで我慢比べで、僕にとってもなかなか苦痛だったが、彼にとってもうんざりする小言だったに違いない。ムッとして辞めてしまう可能性もあったが、僕はあきらめなかったし、彼も働き続けた。

すると彼は、少しずつ変わっていった。そして今や、想像力を駆使し、察する力をもって実務も接客も見事にこなしている。

毎日続けることで人は変わる。

しかし、これが難しい。

三粒のサプリメントはシンプルだがディープ、飲み続けるのは簡単ではないだろう。それでも「選ばれる人」になりたいのなら、あなたにもぜひ続けてほしい。

効果のほどは、僕と彼が保証する。

「思いつきを全部やる」思考のスイッチをオンにする

「地図を見ればなんでもわかる」と言う人がいる。

ガイドブックを眺め、インターネットを駆使すれば、わざわざ旅に出なくても家にいながらにして世界の名景は目にできると言う人もいる。

僕は、この意見については反対派だ。空気の流れ、風と光が交じり合うさま、おそろしくまずい屋台のコーヒー、街のにおい。そこでしか見えない光景、行った者にしか味わえない経験があると思うから、僕は何度でも旅に出る。


アイデアやちょっとした思いつきにしても、同じことだろう。

誰かのアドバイスを鵜呑《うの》みにして、やってもみないうちに結果を決めてしまうなんて、絶対にイヤだと僕は思う。

「きみが考えたプランだけど、似たようなことをして失敗した人が、たくさんいるよ」

何人もの親切な人が忠告してくれたとしても、従おうとは思わない。

「成功する確率は低いし、時間の無駄だよ」

大勢の賢い人にデータを見せられても、聞き流そうと決めている。

おそらく失敗するであろうアイデアでも、自分が考えたものはすべて自分で試してみて、自分自身でとことん失敗を味わいたい。「ああ、ダメだった、まるで意味がなかった」ということを、経験し、痛い目にあい、うんざりするほど実感したい。

この姿勢は、たとえ思いつきであっても「アイデアに愛情をもつ」ということ。こんなスタンスを守って、思いつきを全部試していけば、やがては直接的にビジネスにつながっていく場合もある――僕はそう信じている。

たとえば生活のなかで、誰もがちょっとしたことを思いつく。暮らしや仕事を連想させる小さな出来事、友だちとの雑談からアイデアは生まれるものだ。

それらはみな、小さなアイデア、ささやかな思いつきだ。あるいは大きすぎて、人に話せば「そんなの、できるわけないよ」と言われることかもしれない。

だからといって、すぐに捨ててしまうのはもったいない。アイデアをバカにして、価値を見出せないままでいると、なに一つ実行できない人間になってしまう。

そんなとき思考のスイッチをパチン！　と切り替え、「思いついたことを全部やる」と決めたらどうなるだろう？　たとえちっぽけだろうと、人にバカにされようと、絶対に無理だというデータがあろうと、自分の中で「思いつきは一〇〇パーセント実行する！」というルールを決めてしまったとしたら？

僕の経験では、このルールは大いに試す価値ありだ。

なぜなら思いつきを試せば、どんな結果になろうと必ず前進できるから。

仮に一〇〇の思いつきがあるとして、全部いっぺんにトライするのは不可能だ。自然に順番が決まり、「いちばん簡単で今すぐできることを一つ試そう」となる。

たとえばビジネスのアイデアだったら、資本金や人手が必要なことはすぐにはできないけれど、自分一人でできる小さなことも必ずあるので、まずはそこから着手するという具合だ。

今すぐできる小さなことは、たいていすぐに結果が出る。三か月、一年と待たなければ結果が出ない大きなことは途中で挫折してしまいがちだけれど、サクサクできることで成果があがれば、「仕事をしている！」という充実感を得られる。

すると、その小さな手ごたえがエネルギーとなり、次の思いつきに着手できる。まさに一歩前進――これを繰り返していけば、いずれ大きなこともできるはず。

あたりまえの話だが、小さくて簡単そうなアイデアでも、大失敗に終わることもありうる。何度も小さな前進を繰り返したあとで大きな挑戦をしたら、あまりに壁が高くそびえていて弾き飛ばされてしまうこともある。

それでも、一歩前進に変わりはない。なぜなら、ダメだったということは「この道は行き止まり」というサインだから。失敗は必ず、次の新しい道を教えてくれる。

心の中でシミュレーションして実行しないのは、足踏みしているのと同じだ。「勇気を出してやるべきだった」とあとから悔やむのは、一歩後退ということだ。

どちらも幸せな結末とはいいがたいなら、全部の思いつき、ありとあらゆるアイデアを、愛情をもって保護し、試したほうがずっといい。効率が悪くても、どんなに時間と手間がかかっても、自分が思いついたことは全部自分で試す。これが軽やかに前に進むコツでもある。

いささかキツイことだけれど、試してみる価値は充分ある。

自分を好きになってもらうことから、すべてが始まる

思いついたことを全部やる――。まさにそれを実践したなと思うのは、アメリカから持ち帰った古書を売り始めた、二〇歳頃のこと。

あてもなく渡米したものの、やることのなかった僕は、暇つぶしがてら何軒も本屋をはしごした。そこでふと、ある古本屋では五〇ドルで売られているものが、別の古本屋では三〇〇ドルで売られていることに気づいた。ここが古書の世界の不思議なところだった。

気に入って買ったけれど読み飽きた古書を道端で売っていた延長で、帰国後、アメリカで手に入れた古書を友人に見せると、「これなら全部買いたい」と驚く人が何人かいた。インターネットもなかった時代、そこから「店をもたない本屋をやる」という発想が生まれた。

自分の嗅覚と歩き回った経験を頼りに、ニューヨークやサンフランシスコの古本屋を巡って集めた貴重な本を必要な人のところに届ける。これがアイデアの基

本だった。

だが、当時の僕は高校中退の二〇歳。特別な人脈もない。

そこでまず、書店で『マスコミ電話帳』というデザイナーやカメラマンの連絡先が載っている本を買い、手紙を出すことにした。

本人に届く前に、秘書に開封されて捨てられないよう、宛名は毛筆書き。「今日あたり、読んでもらえたかな？」と想像し、頃合いを見計らって電話をする。

一〇〇本電話して、一人に会ってもらえればいいほうだった。さらに、いざ会えても、いきなり本を買ってもらえるわけではない。

そこで僕は、最初から買ってもらおうとするのはやめた。

まず、自分を好きになってもらえば、次の道が見つかるだろうと考えたのだ。

失礼がないようにスーツを着て、その人が興味をもちそうな本を持って出かける。もともとデザインやアートの本はアメリカでたくさん読んで知識を詰め込んでいたけれど、さらに詳しく勉強していく。会って元気にあいさつをし、自分が勉強したことを、たくさん楽しくしゃべる。

そうすると、ほとんどの相手は面白がり、喜んでくれる。話が盛り上がるうちに、僕についても興味をもってくれる。すると話はさらに盛り上がる。

何人かとは三〇分、一時間と話し込んだこともあった。最初の目的は「自分を好きになってもらうこと」だから、おしゃべりをして好意をもってもらえばそれでOK。忙しい相手の迷惑にならないよう、「どうもありがとうございました」と言って帰る。

すると向こうのほうから「なんだ、本を持ってきたのに売らないのか?」とたずねてくれるようになった。そのまま買ってくれた人もいた。本の仕事だけでは食べていけないから僕が日雇いの肉体労働をしていると知ると、「それは大変じゃないか」と言って、知り合いを紹介してくれる人もいた。

「おい、松浦くんという面白いやつがいて、古書にすごく詳しいんだけれど、アメリカから戻ってきたばかりで大変なんだよ」

こうしていつのまにか、僕のかわりに「営業」してくれる人も登場し、だんだんと僕の思いつきは古書店の仕事へとかたちを変えていった。さらにそこから、文章を書いたり、編集をしたりといった仕事も生まれた。

僕の仕事は、相手に自分を好きになってもらうことから広がっていったのだ。最初から「本を売ろう!」とだけ決めていたら、僕は「本を買ってください」というDMを大量にばらまき、くずかごに放り込まれて終わっていたかもしれない。最初から「営業せねば!」と決めていたら、「今忙しいんで」と断られた時点でくじけていたかもしれない。

だが、自分を好きになってもらう「おしゃべり」から始めたことで、僕は相手にたっぷりと「アート談義やアメリカ放浪話」というお土産《みやげ》を渡し、相手もそれを受け取って楽しんでくれた。そこから深いつきあいも生まれた。

これは若い人限定のやり方ではない。現に今でも、僕は会いたいと思う人には同じやり方でオファーし、一〇人に一人とは会えている。

真剣だがどこか風通しのいい「自分を好きになってもらうアプローチ」は、誰にとっても最初の一歩としてうってつけだ。

「ノー」と言われたときがチャンス

相手の立場から想像してみると、どうすればいいか見えてくる気がする。

営業や依頼される側になって考えてみる。

仕事が立て込んでくると、新規の依頼は「まず断る」のが基本になる。物理的に時間がとれないためで、僕に限らず忙しい人はこのスタンスが多いだろう。たいていの依頼者に「残念ですが、またの機会にお願いします」と言うと、やりとりは終わる。だが僕は、一回断っただけで引き下がる人を見るにつけ、不思議になる。「なぜ、あきらめてしまうのか?」と、いぶかしく思うのだ。

断っておきながらこんなことを書くのは矛盾しているし、いやみかもしれないが、「たいして頼みたくなかったのかな」と寂しくさえなる。

なぜなら、自分が頼む側に立った場合は、一回や二回断られても、「断られた」とは感じないからだ。昔も今も「そこがスタート」だと僕は思っている。

「ノー」と言われると、僕はうれしい。

ピシャリと拒絶されると「今、ここから始まる」と思う。本当のコミュニケーションをとるには、最初に「ノー」があったほうがいい。

たとえば、一分前に会った女の子に「好きです、つきあってください」と言ったとしよう。彼女が顔を曇らせ、ちょっとイヤそうな声で「ノー」と言えば、次の一言が言える。

「つきあうかどうかを考えるために、僕のことを知ってください。話をしましょう」

これこそ、僕が本当に言いたかったセリフというわけだ。自分を理解してもらったうえでつきあったほうがいいと僕は思うから。

もし、ミラクルが起こって、ラッキーにも彼女が「ええ、私もあなたとつきあいたい」と即答したとしたら、その後のつきあいはうわすべりのものになるかもしれない。僕は自分が抱いた彼女の幻想に惹《ひ》かれ、彼女も自分が抱いた僕の幻想に惹かれる。そんな間柄はロマンチックだけれど、繊細なドルチェみたいに壊れやすい。

もちろん男女関係には例外がつきものだが、仕事の場においては、僕はこう断言する。

「すべてのコミュニケーションは『ノー』から始めるべきだ」と。


僕のまわりに限らずあなたの職場でも、「ノー」のないスムーズなコミュニケーションが蔓延《まんえん》しているはずだ。

リーダーや上司が「このやり方で進めてほしい」と、今までとは違う方法を提示したとする。変化をつけるのは億劫《おっくう》なものだから「ちょっとイヤだな」と思うのが普通だろう。

だが、たいていの人はスムーズなコミュニケーションという「大人の道具」を自分のカバンに隠しもっているから、とりあえず「イエス」と言う。

あまり理解していなくても「イエス」。

気が進まなくても「イエス」。

内心、とんでもない提案だとあきれていても「イエス」。

相手が上司や先輩なら、なおのことだろう。

だが、こんなうわべだけの浅いコミュニケーションで、おたがいが成長できるのだろうか？　はたして一緒にピンチを乗り越えていけるだろうか？

指示を出す側にしても、すぐにイエスと言われてしまえば、説明し、気持ちを伝えるチャンスが奪われる。その結果、わかっていないのにわかったつもりで企画が進み、すべてが台無しになってしまうかもしれない。そんなのは、あまりにも悲しいし、くやしい。だったら、「大人の道具」なんか捨ててしまったほうがいい。

相手に提案したとき「ノー」と言われたら、ひるまずにチャンスだと思い、徹底して気持ちを説明しよう。

腹に落ちるまで、深く話し合おう。

そこであきらめるのではなく、「ノーこそ始まりだ」という前提でオファーすれば、不思議と勇気もわいてくる。

逆に、相手から意に染まない提案や、よくわからない指示をされたときに、表面だけさわやかに「イエス」と言って陰でぶつくさ言う癖は捨て去ろう。

もちろん、子どもみたいに「ノー」と言い張るのはNG。「聞く耳」とセットで使ってこそ、「ノー」は、深いコミュニケーションの扉を開いてくれる。

素っ裸になり、一線を踏み越える「究極の人間関係」

裸の自分を見せるのは恥ずかしい。だいたい、常にすべてオープンなんて無理だと思うかもしれない。

自分のすべてを見せなくても、人と関係を築くことはできる。仕事にしてもプライベートにしても、おたがい、なにかをどこかで隠しながら、やり過ごすこともできる。企画は進行し、つきあいは続き、時はなごやかに流れ、表面上はなんら問題がない。「大人になったら、自分をさらすのは無理だ」と断言する人さえ、いるかもしれない。

だけれど不思議なことに人生では、「素っ裸になって立ち向かわないと乗り越えられないこと」が必ず起きる。これもたしかな真実だと僕は思う。

素っ裸になり、一線を踏み越えることは、心と心が交感するチャンスだ。

こんなふうにいうと、昔風のセクシーな表現に響くかもしれないけれど、仕事の場でもチャンスはある。むしろ、仕事の場でこそ必要なことだと、僕は考えている。

たとえば本当にどうしようもなくなって困り果てたとき、なりふりかまわず相手に泣きつく。たとえば、理屈も根拠もないけれど、自分の勘だけを頼りに相手に任せる。

これが「素っ裸になり、一線を踏み越える経験」だ。いったんこの状態に入ると、人間関係は一瞬で深まり、仕事の質がぐっと変わる。

つまり、「この人にならいいところも悪いところも見せていいんだ」という間柄になれば無条件の信用が生まれ、それによって仕事も飛躍するのだ。

僕は幾度となく素っ裸になり、一線を踏み越えてきた。

この繰り返しが、自分という人間をかたちづくってきたような気さえする。それに、もともと「よし、いつでも飛び降りるぞ！」と準備万端、整えているという極端なタイプでもあった。

だが、そんな僕に対して向こうから先に素っ裸になり、一線を踏み越えて近づいてきてくれた人もいた。

『暮しの手帖』の発行人（当時）、横山泰子さんだ。

「松浦さんに編集長になってほしい」

横山さんが熱心に口説いてきてくれたとき、僕にわき上がってきたのは、うれしさよりも疑問だった。

『暮しの手帖』といえば老舗《しにせ》の雑誌であり、大手の出版社が出している娯楽的なものとはまるで違う。三〇年、四〇年と働いてきた編集者や社員が、良心的なかたちでこつこつと続けている媒体だ。

しかも声がかかったのは、部数が加速度的に落ちているというタイミング。

いかなる雑誌でも、新しい編集長の課題は、部数を上げることである。だが、今の出版事情は厳しく、仮に実績がある敏腕編集長でも、平らなところでゴロゴロしている荷車をちょっと押し上げることにさえ苦労するといわれている。

そんななか、坂の下へとずるずる落ちつつある荷車を、えいやっと坂の上へ押し上げようというのだから、並大抵の力では足りない。

ましてや僕は、実績がある敏腕編集長でもなんでもない。

写真を撮ったり文章を書いたりの延長で編集の仕事もしていたが、雑誌の編集など、経験がない。さらに、雑誌はチームワークというが、僕は社会に出てこのかた自分一人でやる仕事を選び続け、会社という組織に属したことがない。

こんな自分が長年一緒にやってきたメンバーの中に外からポッと入り、「僕が編集長です」と言ってうまくやっていける理由なんて、見つからないと思った。

さらに、出会って間もない横山さんは、僕のことをほとんど知らなかった。

「なぜ僕なんだろう？　なぜこの人はこれほど熱心に言ってくれるのだろう？」

僕は考えた。考えても、考えても、わからなかった。それでもさらに考えるうちに、ふとひらめいた。

もしかすると、「勘」ではないか——。

仮に横山さんが僕のことを綿密に調べ上げていたら、不安材料ばかりが集まり、編集長にという計画など、吹き飛んだだろう。リサーチやまわりの意見という

「洋服」を着ていたら、一線など越えられなかったはずだ。

だが、横山さんは素っ裸で、どんどんこっちへ歩いてきた。なにもまとわず、裸の「自分の勘」だけを頼りに、一線を踏み越えてきた。

「こいつだったら絶対に間違いないだろうか?」という確認作業など見事にすっ飛ばし、ただ単に直感に従って、「この人だ」と決めてくれたのである。

僕は彼女の思い切りのよさに感動した。あっぱれだとすら思った。

もし僕が逆の立場だったら、そんなおそろしいことはできなかっただろう。不安材料やリスクばかりではなく、株主や社員の説得という壁もある。社長としての責任は重いし、読者からの期待も大きい。そのプレッシャーのなかで裸になるのは、どれほど勇気がいることだろう。

彼女の意気に感じた瞬間、僕も素っ裸になり、一線を踏み越えた。

こうして僕は『暮しの手帖』の編集長となった。

今でも横山さんの本心は確認していないし、確認しようとは思わない。仕事の上ですでに一線を越え、裸で抱き合ってしまった僕らには、言葉はいらないと思うからだ。

これまでやってきた仕事や人脈といった「服」ではなく、松浦弥太郎という「素っ裸の人間」に任せてくれた人の下でなら、僕は懸命に働き続けられる。

服を脱ぐことはおそろしい。一線を踏み越えるには、とてつもない勇気がいる。だが、そこに大きな喜びとかけがえのない関係が生まれると、改めて実感している。

大人数で集まる長時間の会議は、無駄である

「一対一」以外のコミュニケーションなんて、存在しないと思っている。

おたがいがもつ価値観、根底にある思いを共有するには、一対一でなければ不可能だ。

だから僕は、会議はほとんどしない。

「全員で集まって問題点を話し合い、意識を高めよう」などというセリフは、なんだか怠慢だと思う。定例会議をしょっちゅうやるなんて聞くと、いったい、どんなことをやっているのだろうかと不思議に思うし、いぶかしくなる。

一〇人が集まって話し合いをするとしても、たいてい話の中心は一対一で、残りの八人は自分の番が回ってくるのをひたすら待っている、あるいは「関係ない」という不満を押し殺してつきあっているだけだ。

連絡事項をいっせいに伝達したいときは全員が集まったほうがいいが、メールですむ場合も多い。たとえ集まるにしても、一〇分もあればすむだろう。

話し合うテーマが、企画でも会社の問題点についてでも、細かい話は個別に一対一で話し合ったほうがよほど効率的だ。会議というのは、人数が増えれば増えるほど、時間が長くなれば長くなるほど、コミュニケーションの濃度が薄くなる。会議の場で本心を明かす人はほとんどいない。終わったあと、片づけをしながらポロリともれる言葉こそ本音だろう。

「なぜ、話し合いの場でそれを言わないんだよ」と責めても仕方がない。大勢集まったところで、ぱっと気持ちを明かせる人のほうが絶対的に少数派なのだ。だったら、「話は一対一」と決めてしまったほうがいいと僕は思う。

一対一で話すといっても、いきなり心と心で話そうというのも無理な話だ。「一〇〇の話をしたうち、二つか三つ、核心的な話ができていればラッキー」くらいのつもりで、気負わず気軽に絶え間なく、常日頃からいろいろな話をし、コミュニケーションをとるしかないだろう。

たとえばランチを一緒にして、「このごはん、おいしいね」「うん、おいしいね」という、なにげない話から始める。すると、おたがいが一歩近づけるかもしれない。僕が編集部員と一緒にお昼ごはんを食べる理由も、そんなところからきている。

「こういうおいしいものって、つくる人の気持ちが入ってないと無理だよね」

「おにぎりだって、コンビニとよそのうちと自分のうちのとじゃ、全然、味が違うね」

こんな具合に、だんだん話が深まれば、二歩近づけるかもしれない。毎日、あれこれする雑談から、本物のコミュニケーションが育っていく。

一対一で話すといっても、ひんぱんに食事をともにしたり、二人きりになったりする必要はまったくない。デスクの横でほんの数分、立ち話という程度でもかまわない。

気が遠くなるほど、まどろっこしいと感じるだろうか?

だが、ちょっと考えてみればすぐわかる。普段、ろくに話したこともない上司に、いきなり会議室に呼ばれ、「じゃあ、大事な話し合いをしよう」とおもむろに切り出された瞬間、人の心のシャッターはぴしゃりと閉じる。少なくとも、僕ならそうだ。

会社には、「いいこと」は共有しやすいが、「悪いこと」は個人もしくは担当部署でブロックされるという性質がある。できないことを「できない」と言わずに無理をしているとか、新しいプロジェクトに不満があるのに、問題点については口を閉ざすといったことが、どの会社でもあるだろう。

ブロックされた「悪いこと」を、個人で抱え込むのは、しんどいものだ。誰一人そんなつらい目にあわないようにするためにも、一対一のコミュニケーションは欠かせない。

もちろん、四六時中、全員と個別にくっついているわけにはいかないが、折に触れてきちんと個人と個人で向き合っていると「手をつないでいる感じ」が生まれる。

「いつでも目を離さないというわけにはいかないけれど、ちゃんとあなたと手はつないでいるから大丈夫だよ」

こんなメッセージが伝わるコミュニケーションができれば最高だ。

会社というのは一つの船なのだから、みんなの見ている前で堂々と一対一で話すおおらかさが、健全なコミュニケーションを生み出す。

注意するときも同じ。密室で叱るというのはおかしな話で、人前で言われたらプライドがずたずたになるような言動など、あってはならないし、ありえないと僕は思う。仕事の上のことは、あくまで仕事の上のことにすぎないし、相手を全否定する権利など誰にもない。

おたがいに「手をつないでいる感じ」の信頼関係があれば、思いはきっと伝わるはずだ。

ゴールはドライに、プロセスはウエットに仕事をする

いかなる仕事にも「ゴール」がある。

これは厳然たる事実だし、未来永劫《えいごう》、変わらない。

「仕事のゴールは明確にする」というのも、僕が書くまでもないあたりまえのことだ。

ゴールとは厳しいものだし、一〇〇パーセント達成しなければゴールにならない。予算、時間、人員、目標の数字。限られた条件下できちんとやり遂げるのが、プロとしてお金をもらう人の責任なのだ。

だから僕は、「がんばったんだから、それでいいよ」なんて、変にやさしい仲よしサークルみたいなことを言うつもりはまったくない。「いいものができるまで、じっくり時間をかけようね」なんて、子どもを育てる理想の先生のようなもの言いも、できない。

ゴールは絶対的なものとして、ドライに設定するのがプロの誠実さであり、良

識でもある。

こう考えているのは僕ばかりではなく、あなたもたぶんそうだろう。取引先も同僚も上司も、本気で仕事をしている人はたいてい「ゴールは絶対」という前提を受け入れて仕事をしている。


ただし、どんなに厳しいゴールだろうと、それをやるのは人間だ。

僕は、「基本的に人間は弱いんだ」という前提をもっている。

人間には感情がある。今日はなんとなく調子が出ないという日だってある。体力を使い果たしてへとへとになることもあれば、寝不足にもなるし、風邪も引く。

恋人と喧嘩《けんか》をして仕事どころじゃなくなることもあれば、スランプで力を発揮できない時期も、理由もなく能率が下がる季節もあるだろう。

それなのに、すべてに白黒をつけたら、傷ついてしまうかもしれない。

それなのに、すべて割り切ったら、怒りや憎しみが生まれるかもしれない。

人の心を無視したら、どんなゴールにもたどりつけない。

だから僕は、「ゴールはひたすらドライ（合理的）に、プロセスはあくまでウエット（感情的）に」仕事をすることを、心がけている。

「厳しいゴールを達成するためにプロセスも厳しくする」。これは合理的で手っ取り早い方法に思えるが、現実にはゴールするのは不可能だ。

人が「生身であること」を無視して立てた計画は、どれほど立派だろうと決まって途中でダメになる。ぽしゃってしまうばかりか、やりきれないマイナスの感情だけがあとに残ることが多い。ひたすら自分を殺してがんばったあげくに、疲れや怒りや憎しみだけが増えるなんて、どう考えても理不尽だ。

そうではなくて、厳しいゴールを設定したら、プロセスはめいっぱいウエットに。「弱者の発想」で計画を立て、「生身の人間」としてそれを実行していく。

これが軽やかに、確実に、ゴールに近づいていくコツだ。

いくら締め切りが厳しくても、みんながいつも同じ効率で働けるタフな人間では「ない」という前提で計画を立てる。いくら予算が限られていても、みんながいつもお金の少なさをカバーできるようなアイデアを生み出すコンディションでは「ない」という前提で仕事をこなす。

ゴールは絶対であっても、この世のすべての計画は、まるで生き物みたいに、ぐにゃぐにゃかたちを変えていく。

自分も相手も、弱々しく不完全な人間であることを忘れてはいけない。弱い人間が厳しいゴールにたどりつくには、力を合わせなければ無理だ。

この事実を知れば、おたがいが正直・親切にふるまうしか道はないと、理解できるだろう。

「できること」と「できないこと」を自覚する覚悟

僕が編集長になった当初、『暮しの手帖』の編集部は、アルバイトを含めて一八人だったが、今は八人だ。「半数以下の人数にして、大丈夫か?」と言われもしたが、会社にとっても、編集部にとっても、よい変化だったと信じている。

人数は半分以下になったわけだが、雑誌の力自体が減ったわけではない。むしろ、パワーアップしたと思っている。事実、この人数で仕事はうまく回っているし、役割分担もはっきりした。結果、部数も伸びた。

編集長の役割の一つは、編集部員それぞれに適した役割を与えること。

それはたとえば、逆上がりができそうな人には「こうすればできるよ」とアドバイスをしたり、前回りだけしかできない人と、逆上がりを教えるのが上手な人とを組ませたりすること。そんなイメージだ。

だから、結果として人数が減ったのは、二人に支えてもらわなければ逆上がりができなかった人も、練習を重ねるうちに、一人でできるようになったから。一人で逆上がりができる人が多くなれば、「支えるのはうまいけれど、いくら練習しても一人では逆上がりができない」という人には、別の部署やほかの役割を見つけてあげる。

こうして、編集部はスリムになり、仕事の質を上げたのだ。

どうしても逆上がりができない人に、「いくら好きでも、いくら努力しても、できないことはできない」と言うと、なんと残酷な人だと誹《そし》られるかもしれない。だが、できないとわかっていることについて「やってみろよ」と励まし続けるのは、もっとむごい仕打ちだと僕は思う。永久にできるようにならないのに、つらい努力を続けさせるなんて酷な話だ。

できないことを承知のうえで、「きみなら、いつかできる」と応援するのは、ある意味で親切かもしれないが正直ではない。正直を欠いた親切はまやかしになってしまうし、そんな親切では、するほうもされるほうも幸せになれない。

できないことは「できない」と思い知る。できないなら潔くあきらめる。仕事をしていくうえで、これは目を背けてはならないことだと僕は考えている。

『暮しの手帖』には、かつて写真部があり、カメラマンが何人かいた。長いこと、できあがった写真についてアートディレクションする役割の人もいなかったため、「よほどのことがない限り、作品の出来がよくても悪くても、撮ってきたものを使う」というのが編集部の暗黙のルールだった。それで事足りる、のどかな時代もあったのだ。彼らはみな、写真を撮ることが好きで、その仕事をしていた。

編集長になったとき、改めて写真のクオリティについて見直してみた。そして、厳しいことだが、目の肥えた読者を魅きつける写真は、その程度のものではないはずだと感じた。そこで「真剣に、写真のクオリティを考えよう」と提案した。「これからは、こんな写真が必要だと思う」あるいは「こんな写真はないよ、おかしいよ」といったことを、具体的な事例をもとに順番に検証していったのだ。

とてつもなく難しい写真を撮れというのではない。仕事というのは世間一般的なクオリティを確実にクリアすることだと僕は思っているが、その頃の写真は、そのバランスがとれていなかった。

話し合った結果、「どんなことにチャレンジすべきか」がはっきりした。初めて、「自分たちには逆上がりの練習が必要だ」という状況になったのだ。

しかし残念なことに、逆上がりにチャレンジしても、自力ですぐにクリアできる人は一人もいなかった。

そこで僕は、「まず腕の筋肉を鍛えよう」と提案した。みんなそれを実行したが、誰一人としてなかなか逆上がりができるようにはならなかった。「じゃあ、足の筋肉を鍛えることから始めよう」と、ワンランク下げた提案をした。それも無理ならと、今度は腹筋のトレーニングも、ジョギングもした。

そして、最終的な結論は、「たとえどんなことをやっても、逆上がりは難しい」というものだった。

写真部は解散することになり、ある人は営業部へ、ある人は管理部へ、ある人は会社の外へと自分の道を見つけ、移っていった。

とてもつらい話かもしれない。だが、時間をかけて話し合っていくと必ず本人にも理解できる——別の道を行くのが、「ベストウェイ」だと。

なぜなら、僕は最初から「きみには逆上がりはできない」と決めつけたのではなく、実際に何度も、逆上がりにトライしてもらった。やってみてダメだったとき、つらい現実に真っ先に気がつくのは本人だ。

「好きなこと」をあきらめるのはつらい。「できないこと」を、あからさまにするのは、しんどい。だが、逆上がりができなくても、でんぐり返しならば、とても上手にできるかもしれない。逆立ちのほうが、実は力を発揮できるかもしれない。

「できない」と思い知る勇気をもつと、次の「好きで得意なこと」がきっと見つかる。そうしたら、新しい道が開ける。違う風景が見える。

全員が同じように逆上がりをする必要なんてないのだから、でんぐり返しをしてもいいし、側転をしたっていいのだ。

自分がいちばん好きで得意なことはなにか。

それは、どうすれば誰かの役に立てられるか。

他人が喜んでくれることはなにか。

トライ&エラーを繰り返すうちに、それはきっと見えてくる。自分のよさが生かされる道を歩くほうが、心も軽やかに生きていける。

編集長の仕事は「逆上がりで、おしりを押してあげること」

みんなが「好きで得意なこと」で羽ばたければいいなと願いながら、編集長の仕事をしている。だから、そのために自分がなにかできることがあれば、すぐさま動き、助け合うべきだと思っている。

たとえば、企画の立案、顧客へのアプローチといった「最初のジャンプ」さえできれば、あとはフォローし、応援する体制を万全に整えると約束する。そうすれば、思い切ってスタートできる人はぐっと多くなる。

もう少し具体的にいえば、リニューアルしたはじめの頃、僕が若い編集者にプロジェクトを任せるときは、あくまで主体はその人にあることを確認したうえで、ほかの編集者を二人、「支える役」としてつけるようにしていた。

いくら冒険と思えるプロジェクトでも、担当者がまだ若くて経験がなくても、「絶対安全で失敗できっこない」というチーム体制をつくるのだ。

もし、そのプロジェクトをやり遂げることができたら、「じゃあ、今度はフォロー役を一人だけにしよう」というふうにする。

そして、次のプロジェクトもクリアしたら、「今度は、自分一人でやってみなよ」となる。

これを繰り返すうちに、一人で仕事ができるようになっていく。

大人がいつまでも子どものかわりに逆上がりをしていたら、眺めているだけの子どもは、楽しくもなければ成長もできない。

こうやってイメージで考えるとわかりやすいが、実際の仕事になると、いつまでも部下に任せることをせず、全部自分でやってしまう人が多い。こんな癖は、さっさと直してしまったほうがラクになる。


子どもと二人で、公園にいたとする。

子どもがじっと、鉄棒を見ているとする。

最初はまず、声をかけてあげよう。子どもはなにかをやりたくても、なにをやりたいのか、わからないことがあるから。

たとえば、「逆上がりをやってみたら？」とあなたが提案したとする。子どもは首を横に振り、「そんなの、やったことない」と言うかもしれない。

その気持ちは、僕にもわかる。初めてのことをするのは不安だし、しり込みしてしまうのは子どもに限らないから。

しかし、「やるのが不安」という気持ちと「やってみたい」という気持ちは、しばしばセットになっている。だから次は、子どもの「できない」と思う不安を取り除き、「勇気がわく舞台」を用意してあげるのだ。

これは、子どもに限った話ではない。部下や後輩がやったことのない仕事にチャレンジしたがっていると感じたら、「勇気が出る舞台」を用意してあげる。それが長の仕事だと思うのだ。

逆上がりであれば、安心できるように具体的な手助けを申し出る。「きみが蹴り上げさえすれば、僕が補助役になっておしりを押してあげる」と。

手助けというのは理屈だから、それだけでは不安が消えないとしたら、もっと安心できるように、こうささやいてあげる。「きみが勇気を出して、ぽんと地面を蹴ったときは、必ず僕が手を差し伸べる。黙って下に落ちるのを眺めていたりはしないから。大丈夫、僕は味方だよ」と。

そうすれば、きっとジャンプできる。

「秩序のある机まわり」が教えてくれること

「その人の机を見れば、仕事ができるかできないかがわかる」

よくいわれることではあるが、僕もこの意見に賛成だ。帰るときは書類一枚ない、まっさらな机にすることがルールという会社もあるらしい。

もっとも僕は、「片づいた机＝仕事ができる人の机」と断定しているわけではない。

ぱっと見では散らかっているように見えても、そこにその人の秩序があれば、その机の持ち主は、仕事ができる人だと思う。いくらモノがあふれていても、「未処理の書類はこの引き出し、次に読みたい本はその棚、返事を出す手紙はここ」というように、その人のルールに従って整理されていれば、それでいい気がする。

逆に、見た目は片づいているように見えても、自分なりの秩序がない机では意味がない。意外と探し物に時間をとられてしまうかもしれないし、仕事だってはかどらないように感じる。

僕は「自分の秩序を正そう」としばしば思い、そのたび、ていねいに点検している。

「できるだけシンプルでわかりやすく」というのがルールなので、たとえば机の上に関しては、帰るときにはなに一つ置かないよう、毎日点検している。僕の机の上にあるのは、たいていノートパソコン一台。これだけだ。

これは片づけに限った話ではない。

ものごとが複雑化してくるたびに、僕は「どれだけ単純化できるだろう?」と考え、研究し、自分のルールブックを更新している。すべてをできるだけシンプルなルールに当てはめ、そのとおりに整理したいといつも願っている。

「ルールどおりに秩序正しくなんて、いつもそんなに堅苦しくしているのですか?」

人にはこう言われるかもしれないが、秩序を保つことは、僕なりのストレスを感じないための知恵なのだ。ルールや秩序というと管理されている感じがして息苦しいのかもしれないが、それは学校の規則や会社の決まりで植えつけられた誤った印象だ。

そもそも管理とは、人からされるものではなく、自分自身でするもの。

自分のルールは自分でつくり、その秩序を守っていく。それが大人として生きていくことだと思うし、人から管理されるほど、不幸なことはない。

仮に誰かから、「私のことを管理してください」と頼まれたとしたら、僕はたまらなく迷惑だし、そんな責任は自分には背負いきれないと思う。

管理してほしいと願う人などいないと思うかもしれないが、自分のルールをつくり、秩序を守ることができない人は、そう発言しているのと同じこと。自分で自分を管理しない人は、いずれ誰かに管理されないと、なにもできなくなってしまう。

僕は編集長という立場にあるが、責任者であっても、自分が管理者だと思ったことは一度もない。

幸いにしてそんなことはないけれど、仮に「やるべきことを指示し、やってはいけないことを教えてください」などと発言する部下がいたら、すぐに辞めてほしい。「管理されないと仕事ができない人」とは一緒に仕事をしたくないし、できないだろう。

「生活とは、納得の積み重ねでできている」

僕は最近、こう思うようになった。納得がいかないことだらけの暮らしはつらいし、そこからあらゆる不安やイライラが生じる。

逆にいうと、どんなにつらい状況でも「自分が納得できていれば全然へっちゃら」というのもよくある。極端な話をすれば、「なぜあんなひどい人とつきあっているのか？」と言われても、本人が納得していて幸せというケースだってある。

だからこそ、毎日の混沌《こんとん》と自分のモヤモヤを整理整頓するルールが必要になる。

自分の秩序を守り、自分で自分をきちんと管理できれば、生き方に納得がいくし、ストレスも消えていく。

自分の秩序を記すルールブックのつくり方はたくさんある。人から学んだり、本を読んだりして得るルールもあるだろう。いちばんいい方法は、経験によって生み出すルールだ。

自分にとっての秩序ある机まわりとはなにか。

自分が腑《ふ》に落ちて、納得できる暮らしとはなにか。

自分はどんな風景が好きか。

なにに気持ちいいと感じたか。

日々、自分のルールを自分でつくり、アップデートしていく。実際に試してみると、めんどうどころか実に楽しい作業だとわかる。

「どうすれば自分が納得して暮らしていけるか？」

このテーマについて、なにか発見があるたびに心のルールブックに記していこう。ルールが増えれば増えるほど、人生はシンプルになり、軽やかに生きられるだろう。

第3章

「自分の根っこ」を見つめ直す

問題児だった中学生の僕を変えた、おばさんの家

今の僕をかたちづくっているもの――。それは、これまでの数々の出会いや忘れがたい経験だ。

ある人たちとの出会いが、子ども時代の僕に強烈な教えを授けてくれた。

それは、中学二年生の頃。僕は大人からするとわかりにくい問題児だった。校内暴力の嵐が吹き荒れている時代。「不良がいちばん格好いい」と見なされていたような頃。

そんななか、僕は極端に目立つ悪さもしないかわりに、大人に対する猜疑《さいぎ》心の塊のような中学生だった。同じ制服を着て、同じ時間に同じことを学び、みんなと一緒になにかをやる。どうしてそうしなければいけないのか理由が見つからず、なのに説明せずに強制だけする大人に疑問を抱いていた。

「いい子」と「問題児」の二つに子どもたちを分けるカテゴライズが大好きな学校からは、言うことを聞かないだけの僕のような「悩み多き不良」は、自動的に

問題児のほうに放り込まれていた。

「たばこが吸いたいのなら、外で吸わずにうちに来なさい」

あるとき、奇妙なことを言い出した友だちの親がいた。

いったいなんの魂胆があるのかと不審に思いながらも、「とりあえず一回行ってみるか?」とばかりに僕らが出かけていくと、そこはずいぶん大きな家だった。いくつも部屋があり、まるで料亭。約束どおりたばこは用意されていたし、ジュースもお菓子もふんだんにある。迎えてくれたおばさんは気さくな人で、お菓子をすすめながら自由な雰囲気のまま、中学生である僕らの話に加わった。

びっくりしたのは僕だけではなかったと思う。なぜなら、おばさんは単なる世間話をしたのではなかったから。一人ひとりと正面から向き合い、心底、一生懸命に、僕らの話を聞いてくれたのだ。

その頃の大人といえば、先生にしても親にしても、自分の言い分を押しつけることばかりだなと僕は息苦しく感じていた。だが、そのおばさんは違った。説教などせず、ひたすら耳を傾けてくれた。

僕はいつのまにか夢中で、思っていることをおばさんに話していた。

たぶん、自分にこれほど興味をもち、会ったばかりなのに全面的に受け入れ、真摯に対峙《たいじ》してくれる大人に出会ったことが、うれしくてたまらなかったのだ。

そうして夕方になると、おばさんは手早くごはんをつくり「さあ、みんな食べなさい！」とふるまった。それは特別な日ではなく、その後もその家に行けば、いつも同じ態度で迎えてくれた。

こんなことが続くうち、僕らは当然のようにその家に集まり始め、お風呂まで入って、自分の家には帰らなくなった。

まるで公然の家出状態。おばさんの家で寝て起きて、学校に行く、あるいは学校にも行かず一日をそこで過ごす。ときどき自宅に帰る者もいたが、多いときは八人もの男子中学生が寝泊まりし、いつしかおばさんの家は、「問題児の合宿所」と化していた。

いつも家がきれいに片づいていて、朝も夜もごはんがきちんと出てくるなんて、夢のようだった。

しかもおばさんは、親が子どもにするような躾《しつけ》までしてくれた。歯は起きぬけに磨いておしまいではなく、朝も晩も食後に磨くこと。お箸の持ち方。食事中、ひざを立てたり、ひじをついたりしてはいけないこと。多くの家庭では幼い頃に教える礼儀の基本を、おばさんは中学生になった他人の子どもに教えたのだ。

それがどんなに骨が折れることか、今なら僕にもわかる。

「問題児の合宿所」にいた大人は、おばさん一人ではなかった。おじさん、つまりおばさんの旦那さん。彼のやることもまた、常識を超越していた。

「いろいろなところを見たほうがいいから、今日は美術館に行こう」

おじさんはそう言って、休みの日には自分の車やタクシーに分乗させ、僕らを引き連れて美術館やコンサート、デパートに行った。「いろいろな職業の大人を見るといい」と言い、自分の仕事関係の人にまで会わせてくれた。

やがて学校のなかでもちょっと変わった先生が「この子たちがやる気を出して

いるなら手伝おう」と言って、家庭教師のごとく「合宿所」に出張してくるようになった。

家庭教師はほかにもいて、若くて、根気強い女性だった。筋金入りの勉強嫌いばかりだった僕らに、「みんなで勉強して高校へ行こう」とあきらめずに接してくれ、その結果、ほぼ全員が志望の高校に入った。

当時は学級崩壊や荒れる中学生が社会問題だったから、僕らの「合宿所」は地域でも話題になり、「すさんでいた不良が、顔つきまで変わった」とテレビの取材まで来るほどだった。


彼らは、なぜ、あそこまで僕らによくしてくれたのだろう?

名誉欲とか、「世間にいい人だと思われたい」というふうでもなかった。お金と時間がありあまっていて、慈善事業がしたいといったふうでもない。

そのおばさんの子ども、つまり僕の友だちは、一緒に遊ぶクラスメイトで、べつに問題児だったわけではないし、普通の中学生だった。彼の一つ年下の妹も優等生だった。今思えば、思春期の娘の親としては、不良の男子中学生を泊めては心配なことだってあったはずだ。大勢の中学生が夜中に騒ぎ、近所から文句を言われることもあっただろう。

つまり、彼らにはなに一つ見返りはなく、デメリットのほうが多かったことになる。

残念ながら今となっては確かめる術《すべ》もないのだけれど、ただ一つたしかなのは、おじさんとおばさんは、僕らを「無条件で信用してくれた」ということだ。

どこの子だとか、勉強ができないとか、髪や制服が変だとか、いっさいの条件を吟味《ぎんみ》しなかった。僕が僕であるというだけで、おばさんは僕を信じてくれた。

そのとき僕は、「人を信じてもいいのだ」と生まれて初めて学んだ。理屈でなく「この人には信じてもらっている」と実感できたのだ。

僕がその後、人を心底信じられるようになったのは、心底話を聞いてくれる大人に出会った経験を、大切にたずさえて生きてきたおかげだと思っている。

アメリカに旅立った本当の理由

僕は、空を飛んでみたかった——。

前述したおばさんのおかげで、「よし、勉強しよう！」と決意した僕は、自衛隊の幹部候補生を目指すことになる。

今の僕の姿からは想像できないかもしれないが、高校に魅力を感じず、「自分の力で自由に空を飛びたい」と願った中学生にとって、手っ取り早いのが自衛隊のパイロットだったのだ。

実は自衛隊の幹部候補生というのは、かなり倍率が高い。そのへんの進学校よりも人気かもしれない。合格すると陸・海・空自に分かれて基地の中の学校に行くのだが、そこを出れば防衛大学にストレートで入れる。今はどうかわからないが、まさに未来の自衛隊をリードするエリートコースというわけだ。

それだけに、地元の自衛隊事務所に相談に行ったとたん、「この街から希望の星を送り出そう！」とばかり、地域ぐるみで応援してくれることになった。応援は熱く、参考にしなさいといって、何年分もの過去問題集も入手してくれた。僕も人生でいちばんというくらい、死にもの狂いで勉強した。おばさんの家に来ていた家庭教師にみっちりついて、五科目を夢中になって詰め込んだ。

「わかりにくい問題児」から一変、地元の期待を背負って一次試験に臨んだ僕は、当日、四〇度の熱を出してしまった。

ところが、見事に一次試験突破。合格するのはわずか百数十人、想像を絶する狭き門に通って、まわりも奇跡だと驚いたし、僕自身もびっくりした。

だが、本当の驚きはこの先にあった。なんと、確認にすぎないはずの二次の身体検査で色弱と判断されて、不合格になってしまったのだ。

愕然《がくぜん》とした。

だが、なぜかすがすがしくもあった。

できる限りの努力をし、自分では不可抗力のことではねられたから、あきらめもついた。「やり遂げた！」という達成感もあった。

こうして空を飛ぶ自由を閉ざされた僕は、進む予定のなかった高校に、行くことにした。

友だちに誘われるまま、ラグビーの名門校を受けると、自衛隊試験のために猛勉強したせいで偏差値が上がっていた僕は、トップで合格した。

ふたたび問題児から一変だ。花形のラグビー部に入り、クラス委員になり、学校の先生には信頼され、僕の人生はがらりと変わった。

ところが変化はこの先にもまた待ち受けていて、一生懸命にラグビーをやりすぎた僕は、大腿骨《だいたいこつ》骨折で三か月入院という大ケガをしてしまう。

リハビリにも一年以上かかり、みんなが激しく練習している姿を見学するのは、苦痛以外のなにものでもなかった。高校自体に興味を失い、学校をやめた。

このまま翼をもがれたような毎日を続けても仕方がないと、見切りをつけたのだ。

その後、特段やることもなく地元でぶらぶらしていると、同じように高校をやめた仲間とつるむようになる。夜遊びし、騒ぎ、気楽に遊ぶ。それはそれで楽しいけれど、閉ざされたちっぽけな世界でうごめいているだけだ。

一人になると、中学のときに出会った高村光太郎の詩集を読んだ。読めばものを考える習慣がいつのまにかついていたから、僕は思いをめぐらせた。

今いる場所は、居心地のいい安全地帯だが、ずっとここに逃げ込んだままでいたら、僕はもっとダメになる――。

ここから脱出したい。

知らない人ばかりの、広い世界に行きたい。

まったく新しい環境で自分をリセットして、自由になりたい。

ジャック・ケルアックやヘンリー・ミラーのように、自由な国で旅をしながら、思いのまま、自由に生きたかった。

そして僕は遊び友だちと別れ、アメリカに渡った。一人で決めて一人で行った。

三か月間、ハードな肉体労働をして貯《た》めた五〇万円。「無料の語学学校に行く」という、親についた巧妙な嘘《うそ》。それで自由になれるはずだった。

今でも、僕のプロフィールについて、ときどきこんなことを言われる。

「一八歳でアメリカ遊学をしたなんて、チャレンジ精神があったんですね。それが今の仕事につながっているなんて、先見の明があってすごいですね」

これはあまりに美しい誤解で、嘘をついているわけでもないのに居心地が悪くなる。

なんのあてもなく、日本から脱出したアメリカ生活は、旅ではなく逃避だった。知る人もいない。英語もしゃべれない。人種差別も受ける。手持ちのお金はどんどんなくなっていく。

実際は、自由に格好よく闊歩《かっぽ》してなどいない。アメリカ時代、それは僕の暗黒時代だった。

わざわざ外国に行って、安ホテルの部屋にひきこもっていた。外に出ればなにかしら話さなければならないが、通じないのがわかっているから、話したくない。だったら外に出たくない。唯一、英語を話さずに時間がつぶせる場所が本屋だったから、今日はあの本屋、明日はあの本屋と、出勤するように通っていた。部屋にこもっているときは、日本から持ってきたケルアックの『路上』を読んだ。旅をしながら生きる自由。とらわれない自由。

こんなはずじゃないという思いがこみ上げた。ひとりぼっちのアメリカで、僕を縛る人はいない。何時に起きてもいいし、起きなくてもいい。一日、なにをしてもいいし、しなくてもいい。縛られないことが自由ならば、これほどの自由はないはずだった。

だが、物理的には究極の自由でも、僕の心は少しも自由ではなかった。「自由ってなんだろう?」。一八歳の僕は、また考え始めた。

自分の力で自由に空を飛びたい。僕の一〇代は、ただその思いに突き動かされて過ごしていたような気がする。

僕はずいぶん長い間、自由を探していた。迷いながら、歩いていた。いくら考えても、答えは見つからなかった。

そうして、ただ一つ手に入ったのは、「自由を探していても自由にはなれない」という真実。

自由は、遠いどこかにあるのではなく、もっと身近で堅実なところにあるのかもしれない――。こうして、僕は青い鳥に気づくことができた。

アメリカ時代が教えてくれた「正直・親切」

「正直・親切」

これは今も、岩手県・花巻市に残っている、高村光太郎の書にある言葉だ。旧山口小の小学生のために書かれたものだが、僕にとっての心の支えでもある。

「正直・親切」はシンプルな言葉だが、奥が深い。いつも正直・親切であるのは難しいけれど、この言葉を忘れずにいれば、そうそう道は外れないと思う。いつも正直・親切かどうかを自分に問いながら生きていれば、仕事に限らず、どんなことでも乗り切れると僕は信じている。

この境地にたどりつけたのは、アメリカ時代、自分が正直・親切と程遠い、もっといえば、まるで反対の暮らしまで堕《お》ちたからだ。

賢い人であれば、頭で考えただけで、生きるべき道がわかるのだろう。ところが僕はなんにつけ、自分で経験しないと理解できないようにできているらしい。

たとえ腐っていてまずいものだとしても、それを自分の足で食べに行き、実際口にして「まずい」と感じ、それでも全部平らげておなかを壊さないと、なにがおいしいものなのかもわからないという、ちょっと厄介な性分なのだ。

アメリカを放浪し続けた二〇代はじめ頃、僕はもうひきこもってはいなかった。じわじわと孤独が身にしみてきて、一人でいるのに耐えられなくなったというのもある。

旅行している日本人がいれば、すぐに声をかけた。日本にいたら友だちになろうとは思わないような人でも、寂しいから「こんにちは」と言って、近づいていった。

だが、相手から見れば、僕は旅行者とは一線を画した怪しいやつに見えたのだろう。身なりも汚いし、生活の疲れが顔に出ていて、無視されることもしばしばだった。

お金がなくなってくると寝袋を持って、知り合ったアメリカ人の家に世話になった。八〇年代の終わりのすさんだアメリカ。さまよっている僕を受け入れてくれるのは、同じような境遇の人間ばかり。「俺はミュージシャンだ」と言いながら、崩れそうな汚いアパートで、毎日、麻薬をやっているといった破滅的なタイプだ。

「最近、あいつを見ないな」と言っていると、「この前、死んじゃったよ」というのも珍しくなかった。ドラッグのやりすぎでハイになり、はずみで死んでしまう人が多かったのだ。

世話になっておいて卑怯《ひきょう》なようだが、僕は内心、「こんなロクでもないやつらと、つきあうのはイヤだな」と思っていた。だが彼ら以外に相手にしてくれる人もいない。

ぼんやり映画館の前に立っていたら、目の前にぬっと、一切れのピザが突き出されたことがある。

「おなかが空いているんだろう。これを食べなよ」

相手の顔を見ると、明らかにホームレスと思われるヨレヨレのおじさんだった。

ついにホームレスからピザをもらうような人間になったんだと思うと、ショックだった。しかも、そのときの僕は本当におなかが空いていたのだ。受け取ったピザは冷たく、石みたいにカチカチで、とうてい食べられたものではなかった。
人間はもともと弱い。だから自分がつらいときに、人のことなど思いやること
はできない。
アメリカ時代は、それを僕にイヤというほどたたき込んでくれた。
この「冷たいピザ事件」と同じ頃、知り合ったアメリカ人の家に遊びに行くと、
机の上にチョコレートが置いてあった。手持ちのお金が乏しくなり、いつもおな
かを空かせていた僕は、家主が目を離したスキに素早く一枚食べ、もう一枚をポ
ケットにサッと入れた。
「あれっ、チョコレートだ。食べてもいい？」
それくらいの英語は話せるようになっていたし、言えば「いいよ、食べろよ」
となったはずだ。だが、僕はたかがチョコレートとはいえ、それを盗んだ。
不良と呼ばれていても万引きすらしたことがなかった僕は「人間はおなかが空

くとこんなことまでするのか」と、自分にびっくりした。今回はチョコレートだったけれど、これが一〇ドル札に変わってもなんら不思議はないのだ。

幸い、それ以上盗みがエスカレートすることはなかったが、さらに自分に失望する出来事は起きた。外に出た甲斐もあって、やがて友だちらしい友だちができ始めた頃、僕は呼吸するように嘘をつく人間になっていたのだ。

仕事もなく、お金もなく、やりたいことも見つからないダメな自分。

その現実を受け入れられなかった僕は、自分を飾り、偽って、人とかかわり始めた。

「実はアートを勉強してて、今はつらい状況だけど、近々、すごい仕事をやるんだよ」

「こんなふうにフラフラしているけれど、実は親が大金持ちでさ」

「日本にいるときから面白い活動をしていて、アメリカでもそれが評価されている」

仲よくなりたい相手がいると、嘘をついた。自分に好意をもってくれる女の子がいると、嘘をついた。格好いい自分を演出してちょっと気分がよくなりたいと、嘘をついた。なにかトラブルが起きると、嘘をついて解決した。

嘘というのは雪だるま式に増えていく。嘘とばれないようにもう一つ嘘をつく。毎日毎日、借金の利息がふくらむように嘘が増え、嘘か本当か自分でもわからなくなる。

やがて「嘘の自分」が、どっしりとのしかかってきた。相手が好きになってくれても、それは嘘で塗り固めた僕で、本当の僕ではない。そう感じると、人に会っていても楽しくなかった。女の子と恋をしても、嘘がばれそうになって別れた。嫌いで別れるのではなく、ボロが出そうで仕方なく別れるのは悲しかった。

それでも嘘はやめられない。ドラッグと同じで、自分を蝕《むしば》んでいくのははっきりわかるのに、コミュニケーションの道具が嘘だから、やめられないのだ。

そんなある日、雑談をしているとき、本当に仲のよかった友だちに言われた。

「弥太郎、おまえの話がすべて嘘だってことくらい、まわりのみんなが知ってるよ」

このときの衝撃は忘れられない。

冷たいピザより、盗んだチョコレートより、ショックだった。友だちは非難するでもなく、淡々とお天気を告げるように言ったのだ。

自分が嘘に中毒していたこと。あまりにも多くの信用をなくしていたこと。嘘でがんじがらめになり、前に進めなくなっていたこと。嘘のおそろしさが、やまない雨みたいに僕に降りかかってきた。どん底の気分だった。

人の一生分どころか、二生分くらい嘘をついた自分を正当化するつもりはないけれど、この経験があったからこそ、僕は「正直・親切」の大切さが理解できた。

頭で「いけないことだから、やめよう」と考えるのではなく、人生を台無しにするほど痛い目にあって、嘘の怖さを知ることができた。自分の脆《もろ》さを知り尽くして、ボロボロになりながら、やっとたどりついた。

だからこそ今、僕は実感をもって、「正直・親切」であろうと肝に銘じている。

「コンプレックス」こそ人生の原動力になる

子どもの頃から、僕は繰り返し、こんな「地獄の夢」を見た。

——僕は一人で歩いている。

ふと見ると前を歩いている人がいて、ぽとりとなにかを落とす。マッチだ。

「あ、マッチが落ちましたよ」と僕は言う。言った瞬間、場面は変わる。

そこは広いステージで、僕は三階にあたる場所にいる。見下ろすと、下はごつごつした岩に囲まれた洞窟《どうくつ》になっており、鬼や妖怪といった異形のものがひしめいている。どろどろした色。苦しそうに叫ぶ声。僕は怖くて叫び声をあげる。そして自分の泣きわめく声で目を覚ます……。

かつての僕にとって——いや、正直に白状すれば今の僕にとっても、地獄はすぐそばに控えている見慣れたものだ。

地獄というと極端な話に響くかもしれないが、光と影でいう影の部分、自分のイヤなところやコンプレックスといえば、理解していただけるだろうか。

自分には欠けているところがあるという欠落感。自分なんてダメなやつだというコンプレックス。そんな地獄を否定せず、受け入れながらなんとか乗り越えていこうというのが、「地獄を抱えた僕」が、生きていく方策だ。


仕事にしろ、個人的な活動にしろ、今、僕がなにかに一生懸命になる原動力は「コンプレックス」。ダメな自分を生かすために精一杯、努力をする――おそらくこれが僕のすべてだ。


正直に告白しよう。僕は俗っぽいコンプレックスをたくさんもっている。

学歴コンプレックス。高校を中退した僕の「学歴」は、中卒になる。

「松浦さんが中学しか出ていないってバカにしている人なんて、いませんよ」

人に話すと笑われるが、仮にそうでも、僕の被害妄想は僕を自由にしてはくれない。

「学校に行っていないから、勉強もしてなくて、なにも知らないやつだと思われている。本なんて読まないと笑われている」

どこかでそう思い込んでいる自分がいるから、僕は夢中になって本を読んだ。知らないと思われたくないので知識を集め、わかっていないと思われたくないので勉強し、自分なりに考えて理解した。

これは胸を張ることでもないし、みっともないとも思うが、コンプレックスを抱き、それをはね返そうとすることこそ、人間がいちばんパワーを発揮する方法なのではないだろうか。

コンプレックスがあったから、僕は本を読んで古書店を開き、文章を書くようになった。編集の仕事にたずさわり、『暮しの手帖』の編集長になった。そして最近は、上智大学の新聞学科の非常勤講師として、教壇に呼ばれた。

もし僕が、コンプレックスの一つもない人間だったら、おそらくなんの努力もしようとしなかったのではないだろうか。そしてきっと、今とはまったく違った人生を送ることになっただろう。

コンプレックスは捨ててしまうのではなく、自分を奮い立たせる道具にする。

その部分をいつくしみ、自分の「個性」ととらえる。
この使い方が正解かどうかはわからないが、僕にとってはとても有効な手段である。

使い走りのプロになろう

アメリカから帰国した二〇代のはじめ。当時、僕は本の仕事を始めていたが、それだけでは食べていけない。フリーマーケットで洋雑誌を売っても売上はささやかだったし、古書をたくさん抱えて、カメラマンやデザイナーに会いに行くのは楽しかったが、定期収入には程遠かった。

そこで週の半分は、早起きして高田馬場の小さな公園に行った。

そこには日雇いの肉体労働の手配師がいて、「道路工事、日給八〇〇〇円！」などと仕事を斡旋《あっせん》してくれるのだ。

事情がありそうな人、ホームレス、外国人、戸籍もない人、得体の知れない男たち。

集まってくる人のなかには、明らかに病気の人も酔っ払っている人もいた。世間から見れば底辺の仕事かもしれないが、とにかくお金が欲しいので、なんとか手配師に自分を選んでもらおうと、みな必死になる。

そのなかでは飛びぬけて若く、元気だった僕はたいてい仕事をもらえた。だが、行き先もわからず車に乗せられた先で待ち受けているのは、過酷な肉体労働だ。

ともあれ一〇〇円でも多くお金をもらいたかったので一生懸命仕事をしていると、現場監督が声をかけてきた。

「兄ちゃん、明日も来るか？」

僕が「呼んでくれるのなら来ます！」と答えると、それなら手配師を通さず、直接現場に来いと言ってもらえた。朝、高田馬場で斡旋を待たずにすむから大助かりだ。やがて毎日呼んでもらえることがうれしくなり、より仕事に熱が入るようになった。

単純労働で雇われているにせよ、関係のない使い走りを頼まれることもある。それも僕は骨惜しみせずにやった。

「缶コーヒーを買ってこい」と言われれば、大きな声で「はい！」と返事をして、走った。冷たい缶を渡すときも「どうぞ、買ってきました！」と一言添えて渡していた。するとｌ「自分のぶんは買わなかったのか？　これやるよ」と言う人が出てきた。それがとてもうれしかった僕は、ますます使い走りに磨きをかけた。

そのうち僕の呼び名は、「兄ちゃん」から「松浦」に変わった。これは驚きだった。

なぜなら、日々、働く人が入れ替わる現場では、誰も名前など覚えない。雇われている人も事情があるから偽名を使うことも多い。「あれ、この大きい人、この間は小川って名乗ってたけど、今日は高橋になってる」というのもザラだった。

そんな状況できちんと名前を覚えてもらい、「おい松浦、明日、もう少し人手がいるから、おまえの友だちを連れてこい」なんて、ささやかながら責任をもたせてもらう。これは、二〇世紀のアートについてカメラマンと話が盛り上がるのと同じくらい、僕にとってはうれしいことだった。

その頃は意識していなかったが、工事現場でかわいがられたのも、本の仕事で応援してもらえたのも、どんなものだろうと目の前の仕事に精一杯取り組んだからだ。僕の「初々しさ」を、みんなが買ってくれたからではないかと思う。

何歳になっても、どんな仕事や立場だろうと、「初々しさ」は必要だ。

若さと初々しさは、イコールではない。まだ駆け出しの新人なのに初々しくない人もいれば、経験を積んだベテランでもなお、初々しい人もいる。

「初々しさを忘れたらおしまいだ」と、僕は思っている。決して手放してはならないものは初々しさだと、自分にときどき念を押す。

きちんとあいさつする。きちんと返事をする。

初めての気持ちを思い出して、ていねいに取り組む。

小さかろうと大きかろうと、目の前のことを一生懸命にやる。

新しいことに出会えば喜び、がんばりたいという気持ちを素直に表す。

そうすれば、毎日の繰り返しで埃《ほこり》をかぶっていた初々しさが、もう一度輝き出す。そうすれば、しめたもの――慣れっこのはずのものがふたたび、新鮮になるはずだ。

ごくあたりまえでささやかなことだが、これがないと本気で向き合ってくれる人など、誰もいないと信じている。

すべての始まりは、「初々しさ」から――。

たとえ虫ピンの先ほどの小さなものだろうと、一つのチャンスはたいてい次のチャンスにつながっている。どんなことでも頼まれた時点で、すでにチャンスなのだと僕は思う。

誰よりもおいしいお茶を出してくれる人に、好意をもたない人など、いつかもっと大きななにかを任せたいと思わない人など、いるだろうか？

無駄な時代の経験は、いつかきっと宝物になる

「なんで、そんなことを知っているの？」

僕がなにか話をすると、みんなが目を丸くするようになったのは二〇代の終わり。現在の「COW BOOKS」をオープンする数年前、赤坂の「ハックルベリー」という洋書屋さんに間借りをし、わずかなスペースとはいえ、初めて本を売る店をもった頃だった。

赤坂で僕は、さまざまな人に出会った。ふらっと遊びに来るお客さん。店をもたない頃から応援してくれた人。友だちになった女の子……。

その出会いが今につながっているのは、出会った人たちにいろいろな話をしたからだ。

「まるで映画みたいに面白い話じゃない」

みんなが大笑いして楽しんでくれるのは、アメリカ時代の話だった。

こんなことがあった、あんなことがあったというエピソードを、ただ、僕がそ

のまま話すと、誰もが不思議なくらい熱心に聞いてくれた。あまりに面白いから文章にしてみなよと、お店に来ていたマスコミ関係の人にすすめられたほどだ。

そして実際に依頼が来ると、文章を書いたことなんてなかったのに、ちゃんとこなすことができた。むしろ、「いくらでも書ける」という状態だった。

アメリカ時代に経験したこと、思ったこと、考えたこと、空想したこと。

僕はただ、地べたを這《は》うような、みじめで無駄な時間を過ごしていると思っていたけれど、それらすべては知らないうちに、心の引き出しに詰め込まれていた。しばらくの間、それは自分のみじめさとして封印されていたのだが、数年ののちに開いてみたら、いつのまにか宝物に変換されていた。

日常の物語だけではなく、本のこともそうだった。

アメリカをさまよっている頃、ありとあらゆる本屋や古書店で膨大な量の本に触れた毎日は、ただの時間つぶしだと昔は思っていた。

ただひたすら見て、触れたアートや古書は、暇とあてどない興味に任せて探したものだったが、この経験も僕の引き出しに詰め込まれていた。

日本にいるカメラマンやデザイナーは、高名な写真やアートについての知識はあったけれど、とことん現物を見ている人はほとんどいなかった。現物を見て得た知識と、自分なりの思索と経験。教科書に載っていない、雑誌にすら載らない二流のアートにも、素晴らしいものがあるという発見。

そういった話を僕が引き出しから取り出して披露すると、「どうしてそんなことまで知っているんだ？」とみんなが続きを聞きたがってくれた。

そのときも僕は、無駄な時間が宝物に変換されるということを実感したのだ。

たくさんの人が、近道を探す。手っ取り早く成果が出る、可能な限り効率のいい道をとろうと、あせっている。性分として、今も昔もそういったことはしないけれど、安全で近い道を歩きたい気持ちは僕にも理解できる。

たくさんの人が、足踏みを嫌う。前にも進めず、あと戻りもできず、右に行くべきか左に行くべきかもわからない状態はつらい。先が見えない不安は大きなものだし、友だちがいないどころか、自分すら信用できない毎日は地獄だ。イヤになるくらい味わってきたから、その気持ちは、僕には痛いほどわかる。

だが、だからこそ僕は思う。

無駄な時期に詰め込んだガラクタこそ、いつか宝物に変換されるときが来ると。

不遇な月日が、自分をつくる大切な要素になっていたのだと、必ず思える時期が来ると。


今も僕は旅の途中だから、足踏みしていることもあるし、同じ場所でもがいている気がすることもある。それでも、僕はその無駄をすっ飛ばして、一足飛びにクリアできる飛行機に乗りたいとは思わない。

ただひたすら無駄な出来事を、引き出しに詰め込む一時期もあっていいのだと、信じているから。

第4章

これからの人生は、身軽がいい

目に見えない「人生の資産運用」を考える

「四〇歳」というのは、人生の一つの区切りであると思うようになった。

仮に寿命を八〇歳と考える。すると、四〇歳はちょうど折り返し地点だ。

四〇歳までは誰もが、たくさん無駄なことをする。ありとあらゆる経験をする。いい人にも悪い人にも出会い、すてきな思いもバカげた思いも味わう。

そのすべてが、自分の内面をつくり上げていく。そして、四〇歳になったら、意識を切り替える。

つまり、四〇歳までは「貯金」の時期。四〇歳からは「運用」の時期。

まるで証券会社の宣伝文句みたいだと思うかもしれないが、これが僕の実感だ。

自分をつくり上げるための「貯金」をするのではなく、これまでつくり上げた人生や貯《た》めてきた経験という「資産」を、どう運用していくかを考える。そんな時期に差しかかるように思う。

「自分はすでに四〇歳だけれど、資産なんかない」

「あと何年かすれば四〇歳になるけれど、それまでに資産が貯まるとは思えない」

こんな不安を抱く人がいるかもしれないが、四〇年という時間が共通であれば、誰だってたいした差はないというのが、僕が立てた仮説だ。

人生の資産は、苦労や努力の量で決まるのではない。ある程度の時間を過ごせば、誰だってなにかしら得ているはずだ。それに気づいていないだけだ。

「四〇年、生きてきた自分には『目に見えない資産』がある」

四〇歳の誕生日が来たら、自分にそう言い聞かせ、自信をもつ権利がある――このところ僕は、そんな気がしている。

もっとも、「資産をもっている」というだけで安心していても、運用はできない。具体的にどんな資産があるかは、きちんと知っておいたほうがいい。

自分自身を知るという意味でも、棚卸しをして「自分資産帳をつくる」のが、僕がおすすめするやり方だ。

いちばん得意なこと、どうしても苦手なことはなんだろう？　なにが好きで、なにが嫌い？　なにが余剰で、なにが足りないか？　これまでとこれからの事業計画は？

僕の場合なら、「株式会社　松浦弥太郎」はどんな歴史をもつ会社であり、強みはこれで弱みはあれでという具合に、ノートに書きとめている。走り書き程度だが、自分自身を知る「資産帳」でもある。

自分の人生をまるごと振り返って、目に見えない「自分の収支」を記録するのは簡単ではない。仕事の幅、責任、動かすお金、しがらみ、あらゆることが大きくなっているから、なにが自分の強みか弱みかが、一見しただけではわかりにくいのだ。

だからこそ、ていねいに棚卸しをし、知っているようで知らない自分について客観的に把握し、理解し、資産帳に記すことが大切になってくる。

不安というのは「わからない」という宙ぶらりんな気持ちから生まれる。逆にいうと、ものごとをリアルかつ具体的に把握すればたいていの不安は解消できる。

資産帳ができあがったら、いよいよ「運用」の段階に入る。

自分がもっているものを、誰かと共有したり、与えたりして活用するのだ。

このときに注意したいのは、これからの人生で自分の資産を増やしたいなら、自分の強み、つまり長けていることを伸ばし、運用するほうがいいということ。

逆に、弱みをフォーカスし、苦手なことを克服すべく努力しても、利益は生まれないのではないか。好きで得意なことに時間と意識と人生のエネルギーを費やすのが、利益を生む投資につながるいちばんの方法という気がしている。

若い頃、投資と称してたいした意識もなく遊んだり、服を買ったりしていたような無駄は、そのときだから価値が生まれる。四〇歳からは余分なものをそぎ落として、軽やかな投資をしたいものだ。四〇歳からの投資は一点集中主義だと思うので、好きなことに注力し、無駄なことはやめるべきだと思っている。

ちなみに僕の場合、物理的な投資対象は、勉強と旅だ。

いちばんお金を使っている本は、独学という勉強の最強ツールだし、食事もまた勉強だと思っている。旅もまた勉強ではあるが、勉強を超えた投資対象であるという気もしている。

こうやって自分の資産運用を考えることで、人生の後半戦をより自分らしく軽やかに生きていけるように思うのだ。

自分をいったん、からっぽにすることの効用

個人が四〇年の間に培ってきた資産とは、言い換えれば「生きるレシピ」だろう。それは、人生の知恵や仕事のやり方、コミュニケーションの方法といったノウハウの結晶だ。

「生きるレシピ＝その人そのもの」といえるほどかけがえがないから、誰にも教えず、大切にしまい込んでおこうと思う人もいるかもしれない。あるいは一子相伝とばかりに、「これぞと思う、たった一人の弟子にだけ伝えたい」という人もいるかもしれない。

しかし、「生きるレシピ」を秘密にするのは、タンス預金をしているようなもので、運用にならない。利子もつかないどころか、価値はどんどん減っていく。だから四〇歳になったら、貯め込んできた「生きるレシピ」は、そっくり社会に預けてしまうのがいいと思う。

どんどん人に教え、そっくりそのまま与えていく。潔く、きれいさっぱり大放

出する。それまで大事にしまっていたかもしれないが、いったんすべて出して、自分をからっぽにしてしまうのだ。

それで自分が無になるかといえば、話は逆だ。

社会に預けた資産は、人によって運用されていく。

たとえば、仕事のやり方を若い人に伝えれば、これまで自分がやってきたことが、ほかの人にやってもらえるようになるかもしれない。僕のレシピが人に役立ててもらえることになる。

抱え込んだレシピを手放し、惜しみなく与え、人に任せて新しい料理をつくってもらう。これこそ、自分の人生の資産運用だ。そうすれば、自然に利子が入ってくる。

そして、いずれ気づく——かつて自分も同じように誰かからレシピをもらい、それを自分流にカスタマイズして新しいレシピをつくったということに。人にレシピを譲り渡したことで、自分にさらに新しいレシピを学ぶ余裕が生まれたということに。

人に与えられたレシピによって今の自分があるなら、抱え込んでいてはいけない。今度はあなたが次の人にレシピを渡す番だ。

リンゴを見て、どこまで考えをめぐらせることができるか

目に見えないものは、想像力を広げ、考えることで見えてくる。

たとえば、目の前にリンゴがある。あなたはそれについて、じっくり考えることができるだろうか。

「リンゴだ」「赤い、丸い」

ここで思考が止まってはいないだろうか?

「がぶりとかじりつきたい」「パイにしたほうが、おいしそう」「とびきり新鮮だ」

考えの芽がつぎつぎ顔を出したら、どんどん増やしていこう。

「おしりのほうから見ると、丸くなくて、でこぼこしているな」「このリンゴはどんな木になっていたのだろう?」「誰が、どこでつくったのかな?」「くるくるむいてみたら、中に蜜はあるのかな?」

最低でもこれくらい、リンゴについて思いを馳《は》せることが、「考える」という

行為だと僕は思う。

毎日はあまりに慌しいから、放っておくと考えないまま過ぎていってしまう。考えなくても生きていくことはできる。流し、流されても、人生はどんどん進んでいってしまう。

そんなときに思い出す、大好きな本がある。『考える練習をしよう』（マリリン・バーンズ著／左京久代訳／晶文社）だ。

子ども向けの絵本のような本だが、この本は僕に、ものごとには必ず、見えている部分と見えていない部分があるということを教えてくれた。それをわきまえたうえで、見えていない部分、裏と表について考えれば、世界はもっと奥深くなると気づかせてくれたのだ。

あなたは、考える練習をしているだろうか？

「リンゴについてはそこまで考えないけれど、仕事のことなら毎日、頭に汗をかいて考えているよ」

こんなふうに即答する人もいるかもしれないが、はたしてそうだろうか。考えているつもりで、目の前にある条件で「処理」しているだけのケースも、案外多いような気がしてならない。

「急ぎだから、儲《もう》かるから、いい仕事だから」

こんなふうに目の前のことをじゃんじゃん片づけていたら、それは考える行為ではなく、短絡的な判断にすぎない。

「この人はAチームではうまくいかないから、Bチームに異動させよう」

こんなふうに物理的な行動だけで問題を解決しているなら、それは考える行為ではなく、単なるつじつま合わせではないだろうか。

考えることは難しい。でも、どんなことでも、ちゃんと考えながらやらなければ、自分の力、自分の資産にはならないように思う。

目に見えない味、におい、手触り、物語、さまざまな角度で、たとえたった一つのリンゴのことでも毎日じっくり考える練習をすれば、あなたの宇宙はもっと広くなる。

問題の原因は、いつも自分の中にある

その年齢、その年代だからこそ見える景色というものがある。

また、がんばって歩き続けることで、そのうちにそこから突き抜けて、新しい世界が開けることもある。

思えば、僕の三〇代は、一生懸命前を向いて歩いているつもりなのに、いつ見ても景色が変わらないと感じる一〇年間だった。まるで、ジムにある、ウォーキングマシンの上を歩くような道のりだった気がする。

その頃に比べると、今の僕は、ちょっとは前に進み始めたように思う。

なぜ、新しい世界を見ることができるようになったのか。それはいつも、自分にとって一見、めんどうで大変なことがきっかけだった。毎度、思いがけない「トラブル」が、僕を前進させてくれた。

この本を書き始めた春、僕は軽いうつ病になった。

眠れない、すっきりしないということは前にもしばしばあったが、電車にも乗れないし、人が多いところに行けない。今回は少しばかり深刻で、心療内科に通っていた。

夜になると、日記のようなものを必死で書いた。読み返せるような整ったものではない。自分の気持ちをうまく吐き出せないから、苦しくておかしくなりそうになり、かわりに一生懸命、文字を吐き出す。

「誰か助けて」——最後は決まってそう書いた。だが、誰にも助けてもらえないことは、自分がよく知っていた。

病院に行くと、うつ病の薬が処方される。僕は処方箋を眺めながら、「心の病気は、ケミカルな薬で治るものか?」と疑わしく思っていた。いくら薬をもらっても腑《ふ》に落ちず、やがて病気を引き起こした「根っこ」を見つけないとダメだと考えついた。

心が病気になってしまったのは、誰かのふるまいが自分を傷つけたからだろうか?

「いや違う、自分に問題がある」と、もう一人の僕が、そう打ち消した。
それまで、常に意識を「外」に向けていた自分が、「内側」を見つめ始めた瞬間だった。

「病気の根っこ＝自分の問題」を見つけ出そうと、僕は苦しみながらも自分を諫《いさ》めた。

自分を見つめてイヤなところを発見しても、正当化してはいなかったか？ 自分を見つめて病気の根っこを見つけても、ごまかしていなかったか？ 自分を見つめて変えたほうがよいところを見つけても、転職したり、パートナーを替えたりして、自分の環境のほうを変えていなかったか？

――自分をごまかすたびに僕の心の部屋には、捨てたほうがいい、ガラクタばかりが増えていった。それが、僕の病気の原因だったのだ。

それは根源的な問題であり、すぐに解決するものではないが、少なくとも心の部屋に明かりはともった。

根っこが見つかると不安感も消え、うつ病もよくなっていった。景色の変わらない暗い森を歩き続けていて、急にふっと広い野原に出たように、違う風景が広がった。

人生では、思いがけないイヤなことは絶対に起こる。仕事だろうと恋愛だろうと、うまくいっていたことが突然ダメになるなんて日常茶飯事だ。

そんなとき、相手を恨んだり、世の中を憂いたりしても解決しない。

「ちょっと待てよ、もしかして自分に問題があるんじゃないのかな?」

こう考えたときにだけトラブルは解決するし、前進できる。前に進めば、今いる場所とは違う景色が見える。トラブルは一歩進むきっかけ、人生におけるラッキーだ。

とどのつまりトラブルは、ゴチャゴチャに散らかった心の部屋を整理し、いらないものを捨て、壊れたものを修復する最高のチャンス。病気の根っこはもちろん、大切なものを教えてくれる。新しい境地へ連れていってくれる。

人を信じる練習をしよう

最近、僕はあるトラブルがきっかけで、大きな気づきを得ることができた。

それは、「人を信じる」ということ。

僕はこれまで、心の底から人を信じることなく、生きてきてしまったのだ。

――この事実を知ったとき、僕はかつてないほどの衝撃を受けた。

すごく大切に思っている友だちがいた。おたがい、人間同士として好意をもっていた。「一緒になにかやろう」と言って、ともに時間を過ごした。心を許して語り合った。

彼と僕とは、仕事でも友だちとしても、いい関係が続いていたのだ。

それなのに、僕はあるとき、ふと寂しくなった。

たとえば僕が、彼に喜んでもらおう、理解してもらおうとして、いろいろなことをする。しかし次の瞬間、「相手は同じくらいのことを、自分に返してくれていないのではないか」と思ってしまうのだ。

自分は相手を親友と思っているけれど、もしかして彼は自分のことをそうは思ってくれていないのではないか。身勝手かもしれないけれど、僕は相手との温度差を感じ、不安がふくらんでしまった。

トラブルは、そんなときにやってきた。二人で話をしているとき、彼が言ったある言葉に僕はショックを受け、立ち直れないほど傷ついてしまったのだ。

相手に悪気はないことはわかったが、ぐさりとやられた傷は深かった。寝ても覚めても彼が発した言葉がぐるぐる回っていた。どうしようもなくなった僕は、彼を呼び出して話をした。

「きみのあの言葉に、僕はとても傷ついた。仕事も手につかないし、まともに食事できないくらい、ダメージは大きい」と。

彼はもちろん謝り、俺は不用意なことを言って人を傷つけてしまうのだと説明してくれた。それでも僕は悲劇の主人公よろしく、彼につけられた傷にうめいた。

だが、僕はそこで思い出した。「トラブルの原因は、自分の中にある」と。

そのとき僕はハッと気づいた。

傷ついた、悲劇の主人公――。「わざと」そう装っていたということに。

子どもでもないのに、僕は彼の気を引こうとして、傷つけられた演技をしていた。しかも、演技していることにすら、自分で気がついていなかった。虚言癖がある人は、嘘《うそ》をついているうちに自分で本当のことだと思い込んでしまうというが、僕もまさに、その状態だった。

自分を理解してもらいたい、おまえは正しいと言ってもらいたい、その一心で相手に甘えている。なぜ、そこまでして相手の気持ちを確認せずにはいられないのだろう?

答えはすぐに出た――僕は、人を心の底から信じたことがなかったから。

「人を信じない」なんて聞くと、なんてひどい人だ、人間としてなにか欠けているのではないかと思うに違いない。

自分でも、認めたくなかった。ずっとごまかしていた。

長年、人を信じることは生きていくうえで大切だとわかっていて、自分では信じているつもりでいたのだ。でも、心の底から人を信じたことが一度もなかったと、この一件でまざまざと思い知らされた。

この驚くべき仮説を裏づける証拠は、ちょっと考えただけでぞろぞろ出てきた。たとえば僕は、今までずっと一人で仕事をしてきた。なにからなにまで自分で発案し、ゼロから始めてかたちにした。

一人でやるというのは自由で楽しいが、たいそう力を要する。僕は誰も信用していないからこそ、不信感をエネルギーに変え、一人で仕事をやってこられたのだ。

人を信頼しているからこそ、すべてを任せることができる。任せられないというのは、人を信頼していない証《あかし》ではないか。自分が導き出したこの結論に、僕は激しいショックを受けた。

思えば、『暮しの手帖』の仕事でも、部下に頼んだことはすべて、いちいちチェックしていた。もちろんそれは編集長の仕事だが、あまりにチェックが過剰だと、相手に「私は信用されていないな」という感じを与えてしまうだろう。

たとえば僕は、友だちにも家族にも、「相手の自由を受け入れる」というスタンスをとっているつもりだった。口うるさくせず相手を尊重していると思い込んでいた。だが、僕は心のどこかで、信じ合うことをあきらめていたのではないか。最初から期待しなければ、がっかりすることもない。相手を好きなようにさせて放っておき、それを「自分は心が広い」というふうに勝手に解釈していた。

恋愛関係や親子関係でも、口うるさく干渉したり、確認したりしないと気がすまないというのは、相手を信頼せず、疑っているからゆえではないだろうか。

さらにいえば、僕は旅が好きで、一人でいるのが好き、ものごとをじっくり観察するのが好き。これらもよく考えれば、自分で見て、確かめて、徹底的に調べないと気がすまないということ。信じているのは自分だけ――その裏返しのような気がする。

中学時代、おばさんに無条件で信じてもらったのに、その後、僕は信じる練習をしてこなかった。自分の内側で見つけたあまりに根源的な問題に、呆然《ぼうぜん》とした。

こうして人間として決定的ともいえる欠落があると気づいたわけだが、なにが欠けているか、それが「なにか」はわかった。だからこそ、僕は救われた。

仏教の「悟り」とは、自分を知ることだという。

悟りなど僕には程遠いが、自分のパズルの大きなかけらが、一つはまった。


僕は自分の問題を発見させてくれた彼に、お礼を言った。

「命を救われた気がするよ。本当に、感謝している」

彼はきょとんとしていたが、改めて彼は大切な友人だと僕は思った。

人を信じる努力をして生きていこう。相手を受け入れ、信じる練習を重ねれば、いつか人を信用できるかもしれないし、少なくとも自分は変わる。

それでも、どうしても信じられないときもあるかもしれない。それならば、逆にそれをエネルギーに変えていこう。

新しい歩き方を見つけた僕のまわりに、新しい世界が広がった。

人生の「浮き輪」をたくさん用意しておく

「最低にして最高の道」という高村光太郎の詩は、「正直・親切」と並ぶ、僕の心の指針だ。

光と影があるように、なにごとにも最低と最高が共存している。自分の弱くてダメなところも、自分の強くていいところも同じように受け入れる。これが、「最低にして最高の道」ということだと僕は理解した。

「正直・親切」についてはすでに触れたが、別の言い方をすればこれは、「良識と良心に従って生きる」ということだと思う。

生きていて迷ったとき、僕はこれらの言葉を思い出す。これさえあれば、なんとかやっていける。心を落ち着かせられるのだ。

その意味で高村光太郎の言葉は、僕の心の指針であり、ポケットに忍ばせた「生きるための地図」。海で溺《おぼ》れたときの「浮き輪」でもある。

これまでの僕は、一人で小さなカヌーを漕《こ》いで海に出ていた。だから、心の指針を小さくたたんで、自分のためだけに胸ポケットにしまっていた。もしカヌーが壊れてしまったら、自分の浮き輪にすがってやり過ごし、あとはなんとか一人で泳いで生還しようと思っていた。

だが今の僕は、一人で漕ぐカヌーに乗っているわけではない。いつのまにか大勢の人と一緒に、航海をするようになった。

みんなで船出するからには、船頭は、どこに行くかを、はっきりと伝えたほうがいい。そうでなければ、一緒に乗り込んだ人を不安にさせてしまう。

さらに船頭は、遭難しないように風を読み、天気を見る。

一人であれば、せいぜい自分の好きなチーズとクラッカーだけポケットに入れておけばいいが、船頭としてほかの人と一緒なら、船荷にパンやワインも積んでおかなければいけない。

このところ僕は、自分のぶんの地図だけ用意しても仕方がないと考えるようになった。

大人になれば誰でも、一緒に船に乗っている人のぶんまで浮き輪を準備しておく、そんな役目が増えていく。

自分のための地図だけでなく、誰かが溺れたときの浮き輪も用意しておき、なにかあればすぐほかの乗組員に渡す——そうやって進んでいければと思っている。

僕が、折に触れて「正直・親切」という言葉について話すのは、それが浮き輪を渡す行為だと思うからだ。

だからといって、すべての人に「正直・親切」あるいは「最低にして最高」という浮き輪を押しつけようというのではない。人それぞれにピンとくる言葉は違うはずだし、アレンジしてもらってもいっこうにかまわない。まったく別の言葉がフィットするのであれば、それを浮き輪にしてくれてもいい。

僕がいいたいのは、僕の浮き輪をヒントにみんなそれぞれ、「自分自身の溺れたときのための浮き輪」をもっていてほしい——ただそれだけだ。

仲間のために、愛する人のために、これから会う誰かのために、もし僕の地図が役立つなら、とても幸せだ。
海は必ず荒れるし、船が沈みそうになることもある。
だからこそ、溺れるという前提で船出しよう。
常に浮き輪をもっていれば、ひるむことなく大海原に出て行くことができる。
そんな大事な浮き輪だけもって、いざ、軽やかに行こう。

エピローグ　～そして今も、旅の途中～

今年の七月、僕は旅に出た。

行き先は、アメリカにあるジョン・ミューア・トレイルだ。踏破するには一か月かかるという、長い長い歩道。標高一五〇〇から四〇〇〇メートル級に位置する、ほとんど人も入ってこないようなトレッキング・ルート。ヨセミテ渓谷を目指して自然の中を歩いた。

雑誌『BRUTUS』の取材で行くことになったのだが、もともとアウトドアが苦手な僕にとっては気の進まない話であり、断る口実はいくらでもあった。忙しいとか、キャンプなんて趣味じゃないとか、いかようにも逃げ道はあった。

だが、僕は承知した。ジョン・ミューア・トレイルを歩いてみようと決めた。

なぜなら、地図を広げるだけでは見えない、自分の足で行った者にしか見えない景色を見たいと思ったから。見たことのないなにかに、出会いたかったから。

僕はそれを確かめたかった。

旅をすると決めてから、僕は三か月かけて準備をした。

自分でかついで歩ける重さは限られている。

さて、リュックになにを入れよう。

まずは着替え、ランタン、水、食料、メモがわりのデジタルカメラなど、絶対に必要と思われる品をリストアップしていった。

次に、分厚い本と、漆のお椀《わん》とスプーンを用意した。

自然の中を歩き続けて、ほっと腰を下ろしたときに読む本は、格別の読みごたえだろう。また、缶詰をぶち込んで温めただけのスープでも、お気に入りの漆のお椀で味わえば、金属のコッヘルから食べるのとは、まるで違う味がするはずだ。

そう考えたのだ。

実際、お椀の木のぬくもりと口当たりは、食事のたびに、僕をほっとさせてくれた。

だが、僕が持っていった荷物のうち、思ったとおりに役立ったのはお椀だけだった。重いのをこらえてかついでいっても、ほとんどのものは使わなかったのだ。

たとえば、歩き疲れて夜になれば、ランタンの灯で本を読むゆとりなどなく、いつのまにか寝入ってしまう。「絶対にあったほうがいい」と大切に持っていった本を、僕は一ページも読むことはなかったし、ランタンもいらなかった。

シャワーも洗濯もできないからと、何枚も持っていった下着も必要なかった。歩いていると汗だくになるから、下着が肌に張りついて不快になる。しかし、途中でいちいちパンツを脱いで着替えるのもめんどうに思い、ある朝、下着をつけずにパンツを直ばきしたら、そのほうが快適だった。それ以来、下着はいらなくなってしまった。

一方、「持っていけばよかった」と後悔したのは、ハンドクリーム。

まさか山で必要とは思わなかったから想像すらしなかったが、テントを張ったり歩きながら岩をつかんだりしてすり傷だらけのがさがさになった手に、僕は何度、「クリームを塗りたい」と思っただろう。

「絶対にいる」と思い込んでいたものが、いらない。

お椀のような「よけいそうなもの」が、心の支えというくらいに大活躍する。

普段は「いる・いらない」など想像したこともないものが、必要になる。


この旅で僕は、「人生の旅の荷物」について、改めて考えることになった。


重い荷物を背負って歩くトレッキング・ルートは、平坦な道ではなかった。

ようやく坂を上り詰めたとたん、下り坂になる。下りはラクだからちょっと喜んでいると、下ったぶんだけまた上らなければ、目的地に近づけない。アップ・アンド・ダウン。上ったり下ったりの繰り返し。

もしかすると生きていくことは、荷物を背負って一人、上ったり下ったりを永遠に繰り返すことなのかもしれない。歩きながら、僕はこんなことを考えていた。

だったら上りがきつくても、下ってばかりいるようでも、確実に前進していると信じたほうがいい。

上りでも下りでも、本当に必要なものを、できれば軽い荷物にして。

四二歳の秋——僕の旅は、まだ途中だ。

あなたの旅は、どうだろうか？

二〇〇八年

松浦弥太郎

解説

遠山正道
（Soup Stock Tokyo／スマイルズ代表）

『軽くなる生き方』を読んで、重くなった。

ペン片手に長い半身浴で読みながら、来そうだなあ、絶対来るなあと思いながら、やはり最後に「あなたの旅は、どうだろうか？」と問われて、突然湯船で少し泣いた。ただ傍観者であることを松浦さんは許してくれなかった。

もちろん、松浦さんは言うだろう。いやいや人それぞれですから、と。べつになにかを押しつけているのではない。いばっているわけでも上司の役を演じているわけでもない。でも、こっちが勝手に彼我を比べてしまったときに、重くなる。

重いというのはいくつかある。

まず松浦さん自身のこれまでに生きてきたことと、その証言が重い。アメリカ時代に嘘を嘘で塗り固めていたこと。「おまえの話がすべて嘘だってことくらい、まわりのみんなが知ってるよ」と言われて衝撃を受けたこと。わりと最近にうつ病と診断されていたこと、など。

そして、重い経験があるからこそ軽くなってもフワフワしないんだろうな、ということ。最初から軽いだけではダメなんだ、と知ってしまった重さ。

そう『軽くなる生き方』を読んで、そのまま軽くなるわけではないのだ。松浦さんが最初に書いたとおり、まず人生の棚卸しが必要。その棚卸しで、見たくない重い荷物としっかりと対峙しなくてはならない。

私は、能天気に生まれ育ってしまって、宝物に変換する可能性を秘めた重たい荷物に気づいていないのだと思い知らされた。そして、膝が伸びきってたらジャンプなんてできねえんだよ！　と外野から野次られながら、順番が回ってきた蒼白な顔のジャンパーのようだ、と自分を思って、だから突然湯船で少し泣いてしまったのだろう。

松浦さんとのトークイベントのときに聞いた、手紙の話も印象的だった。お礼は、人と会って別れたあとすぐにでも、はがきや手紙に万年筆で書く。実際に私も頂戴した。そして感激した。一方、お願いの手紙は相手に負担をかけないようにボールペンで書くという。頂いた手紙は捨てない。宝物なのだろう。話はわかるが、それを日々実践している人、なのがすごい。


『軽くなる生き方』を読んで、軽くなる生き方を想像してみた。

松浦さんの軽くなりようがまたすごい。

本を商売にしておきながら、本は三冊程度しかない、というあまりにも大胆な状況。これもトークイベントのときに実際にお聞きし、意味がわからなくて聞き返した。さ、さんさつって……三冊ですか？　と。

無理である。

軽くなっている生き方を想像しようと思ったが、すぐに無理である。

『軽くなる生き方』を読んで、最後に重くなって、軽い生き方の想像で失敗した私は、しょうがない、もう一回はじめから、傍線だらけの本を長い半身浴でざっと読み返してみた。

今度は、なかなかサクサクと軽く読める。ウンウンそうそうといちいち納得できる。あるあるそれそれ、と自分とも照らし合わせられる。

『軽くなる生き方』を読み返して、ちょっと勇気が出てきた。

松浦さんは、不器用なほど正直で、思ったことをがんばって実際に試して、失敗しながらもほふく前進し、慣れないことにも挑戦してみているうちに、意外と裸の自分って勝負できるんだってことに気づいて、裸で勝負できることの価値に気づいて、それって自分だけでないかもと思って、そして、彼は、人は裸で戦っても勝負できるということを、みなに教えてくれている。そう思ったら、何だか自分もできるような、そんな気がしてきた。

「あなたの旅は、どうだろうか?」と問われたら、「旅してます!」と大きな声で、笑顔で松浦さんに答えよう。たぶん「良い旅ですね!」って言ってくれるに違いないから。

単行本　二〇〇八年一〇月　サンマーク出版刊

サンマーク文庫

軽くなる生き方

2012年8月25日　初版発行
2014年10月20日　第5刷発行

著者　松浦弥太郎
発行人　植木宣隆
発行所　株式会社サンマーク出版
東京都新宿区高田馬場2-16-11
電話 03-5272-3166

フォーマットデザイン　重原 隆
本文DTP　朝日メディアインターナショナル
印刷　共同印刷株式会社
製本　村上製本所

落丁・乱丁本はお取り替えいたします。
定価はカバーに表示してあります。

ISBN978-4-7631-6015-7　C0130

ホームページ　http://www.sunmark.co.jp
携帯サイト　http://www.sunmark.jp

好評既刊

サンマーク文庫

※価格はいずれも本体価格です。

きっと、よくなる!
本田 健
400万人にお金と人生のあり方を伝授した著者が、「いちばん書きたかったこと」をまとめた、待望のエッセイ集。
600円

きっと、よくなる!②
本田 健
400万人の読者に支持された著者が、メインテーマである「お金と仕事」について語りつくした決定版が登場!
600円

幸せな小金持ちへの8つのステップ
本田 健
「幸せな小金持ち」シリーズが待望の文庫化! お金と人生の知恵を伝えた著者が初めて世に出した話題作。
543円

お金のIQ お金のEQ
本田 健
数々の幸せな小金持ちの人生を見てきた著者が、経済的な豊かさと幸せのバランスを取る方法を指南する。
571円

「ライフワーク」で豊かに生きる
本田 健
成功する人に共通するライフワークをテーマに、楽しく豊かに自分らしく生きる方法を説く。
552円

サンマーク文庫

好評既刊

小さいことにくよくよするな！

R・カールソン
小沢瑞穂＝訳

すべては「心のもちよう」で決まる！　シリーズ国内350万部、全世界で2600万部を突破した大ベストセラー。　600円

小さいことにくよくよするな！②

R・カールソン
小沢瑞穂＝訳

まず、家族からはじめよう。ごくごく普通の人づきあいに対してくよくよしてしまう人の必読書。　600円

小さいことにくよくよするな！③

R・カールソン
小沢瑞穂＝訳

心のもちようで、仕事はこんなに変わる、こんなに楽しめる！　ミリオンセラーシリーズ第3弾。　629円

お金のことでくよくよするな！

R・カールソン
小沢瑞穂＝訳

ミリオンセラーシリーズの姉妹編。「精神的な投資」と「心の蓄財」で心を豊かにするガイドブック。　600円

小さいことにくよくよするな！〔愛情編〕

R＆K・カールソン
小沢瑞穂＝訳

くよくよしないと、愛情は深まる。パートナーといい関係を築くために一番大事なミリオンセラーシリーズ最終編。　629円

※価格はいずれも本体価格です。